ÉCRIVINS
est une collection créée
et dirigée par Philippe Claudel

Le vin roule de l'or

Charles Baudelaire

Les joyeuses

Michel Quint

Les joyeuses

Stock

ISBN 978-2-234-06220-7

Pour tous les bénévoles qui mettent chaque année à Sablet du livre en bouteilles. Parmi eux, mon vieil ami Simon, et Gaétane.

Longtemps les mots ont roulé au fond de moi comme des cailloux au lit d'un torrent. Ils se précipitaient dans ma gorge, débordaient sur ma langue, butaient au barrage des dents et je parvenais juste à en cracher quelques-uns qui ne voulaient rien dire. Les gens les attrapaient au vol, les regardaient un instant au creux de leurs mains, navrés de ne pas les comprendre, puis les laissaient tomber dans la poussière du chemin. Les autres, qui se bousculaient encore dans ma bouche, je les ravalais et ils retournaient à mes fleuves intérieurs.

Je bégayais à m'étrangler.

Ceux qui m'écoutaient avaient des yeux de consolation, ils articulaient en silence à ma place, reproduisaient mes grimaces impuissantes, s'abîmaient les lèvres à mes mots

11

muets et leur souffrance de ne pouvoir m'aider m'affolait plus que la mienne.

Très vite, je n'ai plus essayé de parler, j'ai abandonné à mon regard terrible des interlocuteurs désolés. J'ai torturé ainsi des multitudes d'instituteurs, de professeurs, d'orthophonistes, de médecins, et des filles dont j'aurais voulu dire la beauté et devant qui je restais planté, imbécile et écarquillé. On m'a laissé faire hypokhâgne et khâgne en touriste parce qu'à l'écrit je donnais ma mesure, mais passer l'oral de Normale, n'est-ce pas… À la maison, quand il n'était pas en déplacement professionnel, aux États-Unis, au Japon, ou ne traînassait pas aux fêtes votives, mon père se débrouillait de mes fragments de phrases, complétait rapidement ma pensée, me résumait en deux expressions distraites. Souvent il se trompait mais le corriger eût été une épreuve plus intolérable que de faire oui de la tête. Pas plus mauvais élève ni pire fils que quiconque. Mais, et j'en crevais, amoureux déplorable.

Évidemment, ici à Sablet, au village où je n'ai guère fréquenté, puis au lycée de Vaison, on s'est moqué, on a singé mes crachotis, mes grimaces, mes bredouillis, on a hoqueté des vacheries. Je dédaignais sans même m'offrir le plaisir de la castagne. Je ne parlais pas, je survivais en fantôme silencieux dans la doublure des jours ordinaires, mais je lisais, tout, des nouvelles sucrées publiées dans les magazines féminins aux essais philosophiques et aux romans de tout poil. Parce que je ne pouvais embrasser qu'une profession muette, celle d'écrivain, je l'ai décidé très tôt pour mettre le monde dans ma poche. Alors, quand on a dialogué avec la princesse de Clèves, pleuré à l'exécution de Julien Sorel et suivi Sartre aux sentiers de l'existentialisme, les pouffiasses du temps qui va et leurs jolis cœurs étroits du ciboulot, on néglige. Souvent, on méprise. Par solution de facilité qu'on regrette toujours.

Et puis, l'année de mes vingt ans, je suis entré en ivresse, j'ai bu, en même temps que je montais sur les planches, et la parole m'est devenue fluide, j'ai pu enfin me vider l'âme au fur et à mesure des verres de vin et des répliques. Le bégaiement me passait au fil des bouteilles. Je n'écrivais pas encore, parce que je pensais n'avoir pas vécu. C'est maintenant. Quelques vendanges après. Maintenant je peux écrire. Ce temps est prescrit où nous sommes allés, tous, au dénouement. Ma pièce est dite comme une messe bâclée. Le plus clair de ma vie jusqu'alors était fait de mots avortés, mort-nés. J'ai bu un seul été pour remettre d'aplomb le ciel et la terre, pouvoir nommer à voix haute des choses et des êtres et ainsi être capable de les toucher, de les aimer ou de les détester. Depuis, j'ai quitté le vin parce que ses merveilles n'agissent qu'une seule fois. S'obstiner à boire ramène au trivial. L'écriture a remplacé le vin. Une femme aussi, dont l'ombre douce est couchée sur mes lignes. Écrire prolonge désormais ma capacité à ne plus bégayer.

Je m'appelle Federico Peres. On dit Rico.

Juillet. Chaque jour le pays se fendille de soleil comme une fournée de pains oubliés à cuire. Je laisse chez moi, par en bas, vers Vaison-la-Romaine et je traverse Sablet, à pied, sur le fil étincelant de midi, jusqu'aux domaines avant Gigondas. Le village est désert et je suis les ombres courtes des ruelles, entre les maisons à triples génoises, volets clos, qui déboulent en désordre du plus haut d'un court mamelon. Passé le clocher carré à campanile de fer, je descends à pas plus amples pour entrer vite dans les vignes, remonter aux prochains contreforts de maquis vert sombre. Les premières collines étaient tombées autrefois à plat ventre dans la plaine et ne s'étaient jamais relevées. Ces vignes avaient poussé sur leurs cadavres secs. Il faut piétiner leur dos poudreux et longer par une route empierrée un petit ravin inculte que j'ai toujours connu encombré de verre brisé, un camion de bouteilles y a versé jadis. Le camion n'y est plus mais des milliers de tessons, de goulots dentus sont demeurés, allumés par le soleil, jamais masqués par l'herbe brûlée et rare. Depuis le temps, ils devraient être sales, enfouis, mais non. Chaque fois j'ai l'impression de découvrir une mine d'émeraudes sombres dans cette décharge oubliée. Souvent je m'assieds au bord, sur un court balcon rocheux et je laisse les éclats coupants m'éblouir. Ensuite, juste en lisière des dernières parcelles, invisible du village, l'arrière-arrière-grand-père de Simone Cabrières a bâti la Tuilerie. On y a toujours fait du Côtes-du-Rhône. Simone en fera encore quand Edwige, sa mère, ne sera plus là. Simone a quarante ans, célibataire, et lit autant que moi. Mon sac à dos est plein de livres que je lui rends ou que je lui prête. Elle n'est pas vraiment belle mais se fout de mes silences. Elle parle pour deux. En plus, Edwige est l'employeur de papa, son amie, de longue date, et pire peut-être. D'avant maman. Avant leur mariage et sa mort, l'hiver de mes cinq ans. Le reste n'est pas de mon ressort.

La grille à l'entrée du domaine n'est jamais fermée et on suit une longue allée sous des platanes centenaires. Le dernier s'est échappé du rang et reste planté seul au centre de la vaste cour en U, un peu à gauche, plus proche de la cave de production à double porte cochère. Un caveau de vente, dégustation, les bureaux et les appartements d'Antoine, le régisseur, tiennent le côté droit. En face le lien est fait par le corps d'habitation, une bastide plus élevée, à péristyle et galerie au-dessus, avec quatre œils-de-bœuf sous la visière du toit. Elle vous regarde calmement venir, sûre d'elle.

D'habitude à ces époques, la cour dallée est un creuset à blanc, on file d'un trait à travers, la semelle cramée dès les premiers pas. Aujourd'hui, malgré la canicule, des voitures sont garées à la diable, des pas d'ici, immatriculées hors Vaucluse, et Simone ne lit pas dans l'ombre sèche du péristyle. Des voix, une rumeur de meeting, sautent par les fenêtres ouvertes de la salle du rez-de-chaussée. Tout de suite, ça me poigne le ventre qu'il soit arrivé un malheur... Dans le vestibule, au pied de l'escalier de pierre, des paquets d'affiches encore ficelés, la première lisible : «*Les Joyeuses Commères de Windsor.*

Shakespeare. Mise en scène de Jean-Pierre Bernier. 10, 11, 12 août. 22 heures. La Tuilerie. Sablet. » On va donner des représentations théâtrales ! Ici ! Deux pas et je suis sur le seuil de la salle en pénombre fraîche, où ça caquette parmi les meubles anciens, ça rigole, des types, des femmes en robe légère ou débardeur, des mal rasés aux lunettes de soleil dans les cheveux, appuyés dans les profondes embrasures des fenêtres, une fesse posée sur la longue table de couvent, vautrés par-dessus les accoudoirs des fauteuils anciens. Certains je les connais de Sablet, Serge, notre tout jeune instituteur qui a monté un groupe de théâtre amateur, un adjoint au maire, Bruno, lui et moi avons un vieux contentieux, qu'est-ce qu'il fait là, il est plus con que ses pectoraux, Antoine évidemment, et puis des midinettes aux yeux ronds, les autres, les inconnus, ont un parfum de saltimbanques, j'en jurerais. Une petite vingtaine en gros. Simone et Edwige sont dans un vieux divan provençal à regarder un homme-barrique, debout devant l'immense cheminée, étendre les bras pour réclamer le silence, un verre demi-plein au poing droit. Du rouge. Il a les cheveux en tempête, aussi blancs que sa barbe sauvage, une bedaine de viveur, très grand, en chemise blanche, froc informe à bretelles cramoisies et espadrilles turquoise. Il sourit juste des lèvres et des paupières plissées, comme un qui en a encore dans son sac, sûr d'épater la galerie. Une bouteille de « Domaine de la Tuilerie » est posée à ses pieds. Il m'aperçoit :

– Tu vois petit, je ne te connais pas mais j'avais déjà les bras ouverts pour toi : je savais que tu viendrais !

Et il a ce rire que j'entends pour la première fois, à décoiffer les vignes, coucher les cyprès et les chênes du maquis, jusqu'à faire écumer les vagues, là-bas, vers Marseille ou Toulon, les gonfler de marrade.

Bien sûr que tout le monde s'est retourné, Simone et Edwige également qui se lèvent, attendent que j'aille aux bisous habituels.

– Tu arrives à point, Rico…!

Et elle a juste une invite des mains, bien élevée, Edwige. En lin noir, une tragédienne pâle à cheveux sombres, aux épaules, et visage net de beauté étrusque, la soixantaine hiératique. Dans sa voix sonnent clair les bijoux qu'elle ne porte jamais.

Je traverse l'assemblée comme un messager timide approche d'une reine en exil. Rituel des trois baisers, pareil avec Simone la bouclée, minuscule, toujours bise de marcher dans les vignes, éternellement en jean, T-shirt et odeur de savon lavande. L'ogre me serre la main, scrutateur et rigolard:

– Jean-Pierre Bernier...

Alors là, pas la peine d'essayer une réponse polie, rien qu'à amorcer «Enchanté» je vais lui postillonner plein le plastron, gonfler les joues pour expulser une syllabe et tout le monde se bidonnera. Edwige est restée à mon côté:

– Regarde-le bien, Jean-Pierre... Cette tignasse passée au soleil, les yeux marine, cette petite gueule de jeune pirate à enlever les dames... Tout le portrait de son père...

Bernier s'est reculé, le regard de biais, sceptique:

– Non... le fils de David...?

– Gagné. Federico Peres. Rico...

Pas le temps de ouf, je suis saisi, frotté sur cette poitrine de taureau dans les relents de vin, baisé au front, saisi aux oreilles, regardé, rendu sourd par un haaaa répercuté par les murs, les plafonds:

– Où il est mon escroc chéri, mon gigolo du Comtat Venaissin, mon voleur de femmes, mon baiseur de bourgeoises, mon roi de basse-cour...? Tu sais qu'on était inséparables, Edwige et nous deux ? Où il est ton père ? Dieu, ça fait combien ? Plus de vingt ans ? Quand il a épousé ta mère…! Pardon, oui je sais, on a tous été tristes de sa mort, pas pu venir à l'enterrement, j'étais au Canada… Alors, ton père il est dans le coin ?

Il m'a pris d'un bras par les épaules, me secoue, mon sac lourd de livres me bat les reins, il attend une réponse, l'œil plus ouvert maintenant, et joyeux.

– Fl… Fl…

– Il est en Floride ? Évidemment, je suis bête : il vient de s'envoler promouvoir nos vins, j'aurais dû m'en souvenir !

Merci Edwige. Je dis oui de la tête et l'ogre me regarde, plus finassier que jamais :

– Ah oui, toujours appointé par le domaine ! Tu le paies à faire le touriste ?

Une seconde il me jauge et, d'une voix de maquignon devant un cheval fourbu :

– Il pourra voir son fils sur scène quand même ?

Quoi, moi, jouer ? Déclamer ?

– J'ai un rôle de nigaud pour toi, un porteur de linge sale… En plus de régisseur général… Tatata, pas le droit de refuser… T'inquiète pas, tu vas apprendre ! Il revient quand David…?

21

Jouer un valet demeuré, j'aurais dû m'en douter, pas question. Pourtant, je me sens des élans, j'ai envie. Je montre deux, trois, quatre doigts. Bernier regarde Edwige qui hausse une épaule :

– Deux ou quatre semaines ? Même la patronne ne sait pas ! Ben mon cochon, un mois de Miami, il va finir par tourner dans une série télé ! T'es sûr qu'il est pas enfui avec Pamela Anderson ?

Et son rire d'opéra wagnérien. Alentour, on s'est tu, on l'a laissé jouer sa scène, sous son rire on frémit, pour un peu on applaudirait, mais non, on bouge, on se détend, ça entame des conversations par petits groupes. Du coup moi, je peux les regarder mieux, tous, l'instit et l'adjoint, qui ont l'air un rien emprunté, et les autres. Dont une blondinette avantageuse, genre favorite royale, discrète jusque-là, en robe rouge croisée, bien décolletée, petit nez retroussé levé haut et de la narquoiserie aux lèvres. Qui vient à moi :

– Emma Willems... Je suis sûre que tu seras très bien...

– Moi aussi j'en suis sûre.

La voix de Simone, derrière moi. Même si je ne bégayais pas, j'aurais serré les dents, de peur que le cœur ne me bondisse de la bouche.

Le soir, on est encore tous autour de la table pendant que Simone dresse un rapide buffet dehors, vin et charcuterie, pâtés, pizza et fougassine. On a allumé des lampes basses dans la salle où le jour tombe tôt. Avant, Jean-Pierre a distribué des brochures et présenté sa vision de la pièce. Ils l'ont lue, à plat, à blanc. J'écoute, j'écoute, j'ai des fourmis aux lèvres, je m'oublie bègue, j'entre dans un livre ouvert, je suis Peter Pan au pays des enfants perdus...

– Je veux un retour aux origines... Dans les deux sens... D'abord parce que j'ai dit mes premiers poèmes ici, dans cette salle et que ces trois représentations sont mes dernières. Je prends ma retraite...

Brouhaha, on se pousse du coude, personne n'y croit. Jean-Pierre continue :

– Et je me fous de votre opinion... Ensuite parce qu'on est dans un pays viticole. Alors on jouera une bacchanale, une fable païenne dont les personnages sont pétris d'une terre où coule le vin ! Falstaff est possédé de l'esprit de Bacchus et les ménades qu'il poursuit de son désir primitif le déchirent, le bouffent à la fin dans un banquet dionysiaque ! Bref résumé : Falstaff, vieux chevalier sans le sou, veut séduire deux bourgeoises de Windsor, madame Ford et madame Page qui découragent ses avances à l'insu de leurs maris et finissent, au moment de ce qu'on traite habituellement en mascarade féerique où la petite Anne Page va duper ses parents et se livrer en cachette à un coquin, par se révéler prêtresses de Dionysos et détruire complètement ce brave homme dans un dernier piège, l'humilier, le battre, le brûler dans une cérémonie au dieu de la force virile et de la boisson, alors qu'il est déguisé en bête... Ma lecture part de ce dernier acte orgiaque... Lisez mon adaptation en ce sens... Ce qui veut dire, Dufour, que tu es un vieux bouc, toi aussi Raymond... Le juge Shallow et Page...

Les deux se regardent, goguenards, l'un, un vrai clou tordu d'arthrose, la soixantaine déplumée, avec des yeux en bille, l'autre guère plus épais ni plus jeune, un blond usé, distrait comme un Shelley en pleine inspiration :

– Tu nous utilises à contre-emploi...?

– On joue à poil ou quoi...?

Rires, évidemment. L'instit et l'adjoint se

fanent un peu des joues. Ils feront Slender et Fenton, deux prétendants à la main d'Anne Page.

– J'y ai songé... Mais on n'est plus aux temps de la nudité gratuite... Je reviens au surgissement du théâtre ! Laissez parler vos instincts animaux messieurs... Mélanie et Hortense vous donneront l'exemple, aucun doute...

Il a son geste familier de possession, attire contre sa poitrine ses deux voisines, deux brunes bien plantées, l'une coiffée à la Louise Brooks, l'autre aux courtes boucles de pâtre grec. Elles ont le regard dur des soubrettes dans le théâtre aux armées et des milliers de vies sur la peau. La quarantaine bien tassée.

– C'est pas des bacchantes qui transpirent la bestialité, ça ?

– Et moi, je suis aussi un bestial ?

Avec son accent d'ici et sa carrure de cat-cheur massif, crâne rasé, Antoine a parlé du bout de table où il ne bouge pas un cil.

– Toi tu es Ford, un jaloux, un sanguin... Ta femme tu la dévorerais crue... Avec ton physique, me dis pas que t'a jamais mordu dans une fesse bien dodue ! Si tu veux, Hortense te montre les siennes pour te mettre en appétit...!

Antoine, buriné de mistrals cinglants, les muscles à péter sa chemise bleu passé, grimace à peine. Il jouera cette couillonnade pour faire plaisir à Edwige, je le sais. Hortense, Louise Brooks, fait semblant de relever déjà sa robe. Jean-Pierre l'interrompt en désignant Emma, assise à côté de moi :

– Et notre Emma... La petite Anne Page... Elle seule n'est pas habitée de délire divin, elle est celle qui le transforme en amour terrestre, qui va procréer, incarner l'élan vital et avoir un enfant après la pièce, je le parierais !

– Pas avec toi, en tout cas...

Elle a répondu d'une voix comme ça, sur le souffle, une femme hors d'haleine après l'amour. Et elle me sourit pendant que Jean-Pierre se lève, déclenche la tornade de son rire et donne le signal de passer au buffet dans la cour.

– Tableau de service quotidien sous la galerie... Première répétition demain à quatorze heures... Je serai Falstaff, bien sûr... Mais avant de me faire dévorer par ces dames, j'ai faim...

C'est plus tard encore. On a garé les voitures à l'écart des lumières. Les groupes sont à la débandade sous la nuit sonore et large. Les femmes ont des moiteurs et s'appuient aux murs de pierre. Ceux du village sont rentrés, ont laissé Raymond et Dufour causer boulot contre le platane, ballon de rouge en pogne. Antoine a entraîné Hortense, sa commère, dans la fraîcheur des chais, goûter à la pipette des vins en gestation. La ripaille est finie de pâtés de sanglier, de faisan, les charcuteries maison, on s'en est goinfré sur des tartines de pain de montagne, et on continue à boire distraitement comme on visiterait du pays. Sur le domaine d'Edwige Antoine vinifie un cru de Gigondas et des AOC, du Vacqueyras, du Sablet et des Côtes du Ventoux. La route est longue et si douce, de bouteille en bouteille, pour découvrir tout le paysage. Je la fais à petits verres sur les pas d'Emma qui me sert sans que j'aie à réclamer. Simone est déjà montée chez elle, exprès de jalousie, que je me débrouille à bégayer avec cette fille qui me fout à l'envers. Et tout doux, une sorte de montée de fièvre, sournoise, pour la première fois l'ivresse me vient, aux joues et aux oreilles, à moi qui n'ai jamais bu une goutte, ne connais rien des continents secrets du vin. J'ai donné mes bouquins à Simone et je suis léger, mon sac vide à l'épaule, assis devant la première fenêtre sous la galerie. À l'autre bout Edwige et Jean-Pierre ont des mines de complot, elle, rigide, bras croisés, et lui, énorme, les pouces aux bretelles, qui danse autour, tout près, lui chuchote, deux pas en arrière, un coup d'œil alentour et il revient, bien en face, lui dire une phrase qu'on n'entend pas et elle secoue la tête, non, non, alors il pose une main sur la sienne, les yeux d'Edwige sont liquides et je ne regarde plus. Emma est assise contre moi, me traite comme jamais aucune fille, raconte en soliloque tout décousu, questionne sans attendre de réponse, me touche la cuisse, me sourit, roucoule, boit entre deux, elle n'a qu'à se pencher pour attraper une bouteille et nous remettre une tournée. Chaque fois sa poitrine roule à déborder et ma foi j'aime bien être un peu parti.

– Autant te le préciser tout de suite, oui j'ai été la maîtresse de Jean-Pierre mais c'est fini... Presque... D'ailleurs j'ai l'impression que ses représentations d'adieux ici sont juste un prétexte pour renouer avec un vieil amour! Je suis certaine qu'Edwige et lui, autrefois... Tout le monde est vigneron ici, non? On reprend une lichette? Attends, faut pas mélanger, on était au Sablet, on continue pareil, j'aime bien son goût de pierraille, je dis des conneries? Tant pis, j'ai l'habitude… Jean-Pierre… Possible qu'il tire vraiment sa révérence, au fond: plus personne ne veut l'engager… Au Français ils l'ont jeté parce qu'il était bourré en scène sans arrêt… Le pire: avec l'administrateur, celui qui l'a viré officiellement, ils se noircissaient souvent ensemble… Jean-Pierre a pris l'affaire comme une trahison et mis un point d'honneur à ne plus travailler que bituré… Résultat: deux, trois panouilles depuis un an qu'il a débarqué chez moi et maintenant il vit à mes crochets, et moi je peux plus… Tu sais, n'aie pas peur, t'as juste une réplique ou deux dans la pièce et un gros panier de linge à porter… Et régisseur général, tu vérifies que le type de la lumière est OK, celui du plateau, les accessoires OK, basta cosi… À part moi, il n'y a que des vieux routiers dans la distribution professionnelle, des copains de Jean-Pierre, les seuls à accepter de bosser pour des haricots… Tiens, justement, tu sais qui paie l'addition de la production au tarif syndical: la madame de céans, l'amie de jeunesse! Et elle est célibataire… Alors d'ici qu'il veuille se préparer

une retraite pour ses vieux jours… Moi,
de toute façon après les représentations je ne
veux plus le voir… Je te dis ça je n'ai rien dit,
t'oublies, hein ! Je suis vraiment méchante,
non ? Tu fais quoi comme études…? Dis
donc, t'es pas bavard mais t'as pas les yeux
dans les poches…

C'est là, à cause du vin, ça m'échappe, ma
première phrase d'un trait, toute belle, toute
neuve, avec une voix de confidence, plein de
caresses dedans :

– Je te promets d'être à la hauteur.

Sur ses espadrilles je ne l'ai pas entendu
venir cet homme si lourd, Jean-Pierre me
broie l'épaule, m'enfouit sous son aile, toni-
truant :

– Comme comédien ou comme amant,
petit Peres…? Marcel Peres, tu vois qui c'est ?
Mais si : il portait le même nom que toi ! Le
directeur des Funambules dans *Les Enfants
du paradis* ! Pas vu ce film ? Une espèce
de singe nasique… Bourru comme un vin
trouble… Bref… Il était berger ou je ne sais
pas quoi et un soir il voit une représentation théâtrale des Tréteaux de France, là-bas,
au fin fond de ses Landes… Révélation
totale : il sera comédien ! Tout de suite, avec
cette troupe-là : il pense que c'est la seule au

monde... Et il va demander au metteur en scène de l'engager. Peut-être l'autre a un peu la trouille de ce Cro-Magnon, pour le décourager il répond qu'un comédien doit pouvoir ne pas manger pendant une semaine. Sept jours après, mon Marcel revient : il n'a rien avalé depuis le fameux soir ! Alors ce qui est dit est dit : il entre dans la troupe et fera la carrière qu'on sait. Belle histoire, non...? Tu vois, être comédien, ça se mérite avec son corps ! Tu serais capable de ça, petit Peres ? Boire t'as le droit... Sinon, à part la comédie, avec ta gueule tu ne peux devenir que gigolo...

— Qui vous dit que je veux faire du théâtre ?

— Le regard que les femmes portent sur toi.

À voix blanche, sérieux, l'œil droit sur Emma, presque douloureux, et rien de plus, on a fini d'exister pour lui, il retourne bras ouverts vers Edwige qui débarrasse les reliefs, de nouveau cabot comme personne, boulevardier, sûr qu'on s'esclaffera jusqu'au troisième balcon :

— Edwige, ma belle aubergiste, tu nous montres les chambres ? La tienne me suffira si nous la partageons, ahahah !

Et puis dans son rire d'ogre mauvais goût quelque chose a tinté trop clair, son pas s'est brisé d'un coup, il se rattrape à une colonne de la galerie, on se précipite, Emma, Edwige et moi, déjà il s'est repris, renvoie les autres qui accourent aussi, c'est rien, c'est rien, la fatigue, trop bu, trop bouffé, mon côté Falstaff, me manque juste une nuit de rut avec toi, ma biche! Sir John en réclame une à madame Ford au début du cinquième acte!

Quand même il est livide. Edwige lui éponge le front d'une serviette en papier, et de ce geste, aussi de son visage soudain tiré, elle trahit ses sentiments et sa voix ne brille plus:

— Une nuit de sommeil, seul, dans la chambre bleue et un médecin demain... Rico, s'il te plaît, tu peux prévenir le docteur Meffre qu'elle passe en fin de matinée?

Le temps que je fasse oui de la tête par habitude, Jean-Pierre retrouve sa gaillardise, bombe la bedaine:

— Elle...? Une femme! Tudieu, pour une fois j'aurai plaisir à me laisser ausculter! Quel âge?

— Et même si elle avait la trentaine...! Ne sois pas sot... Béatrice Meffre a perdu son mari l'an dernier...

– Une veuve ! Magnifique ! Ce sont les plus affamées ! Et tu lui envoies le petit ? C'est de l'incitation à la débauche ! T'as pas le téléphone ?

– À cette heure-ci ? Elle travaille vingt heures par jour... Et Rico habite en face de chez elle...

– À partir de demain il déménage ici, je veux avoir mon régisseur sous la main en permanence...

Je suis rentré chez moi en chantant, « Le 22 septembre », tous les couplets sans défaillir une fois, sauf des guibolles, presque à verser dans le ravin empli de tessons ternis de lune pâle. Maintenant, grâce à l'ivresse, les mots existent en dehors de moi et les choses, les êtres, prennent leur réalité. Ces vignes, cette nuit, le nez retroussé d'Emma, tant que je ne pouvais les nommer, n'étaient que des mirages, des notions cérébrales sans consistance. Désormais, le grain du monde m'est accessible dans l'écho de ma voix qui le tire de son sommeil pétrifié. Parler, je le découvre, m'ouvre à tous les sens...

Au matin, les mots ne voulaient plus rien savoir, cadenassés dans ma gorge, j'ai dû écrire sur le bloc de Béatrice, devant elle qui lisait au fur et à mesure, qu'elle passe à la Tuilerie, un comédien avait eu un malaise.

J'ai mon sac à dos avec du linge pour une quinzaine, ma maison fermée à double tour, elle m'emmène dans sa petite Peugeot. Elle a trente-deux ans, Béatrice, des cheveux d'aristo vénitienne, tout courts, des séductions partout même avec une robe de trois sous, du pollen roux plein la figure et des yeux pâles, bleu chagrin. Papa, mon incorrigible veuf joyeux, lui fait une cour imbécile quand ça le prend, entre deux bourgeoises de sous-préfecture dont il raconte la conquête sans jamais les exhiber. Une fois, elle l'a rebuffé devant moi, si elle se remariait elle préférait avec Rico, au moins je ne mentais pas. J'ai rougi. Dans l'auto je voudrais bien lui raconter la soirée et que je peux parler désormais, que je vais jouer la comédie, et qu'Emma est belle, que j'ai toutes les flatteries égrillardes de mon père à lui chuchoter et que, je le sens, mes éducations sentimentales peuvent commencer, mais allez donc postillonner vos espérances de bonheur neuf sur la peau bronzée d'une jolie femme triste.

À la Tuilerie, j'ai pris mes quartiers au frais, près des cuves, et débouché ma première bouteille de la journée. Quand Béatrice revient à sa voiture, j'ai la langue plus déliée et des manières d'énergumène.

– Alors…? Il vvva bien…?

Cinq syllabes, un seul dérapage.

– Pas trop mal… Mais il a besoin de voir un cardio et vraisemblablement de subir une intervention, un pontage… Veut rien savoir avant le quinze août… Or d'ici là, le stress, l'alcool… Note mon numéro de portable dans le tien… 06 89… Donne, je vais le faire… Et appelle-moi au cas où… Sinon, les urgences… De toute façon je reviendrai le voir, ton Falstaff…

– D'accord.

Elle s'arrête net, portière ouverte, demi-assise au volant, le pied gauche encore dehors :

– Dis donc, c'est quoi ce miracle ? Tu parles ?

Je fais hé, presque coquin, mains levées, dans un haussement d'épaules souriant.

– Parce que t'es amoureux ?

Juste un battement de paupières, j'apprends vite le marivaudage, deux verres de plus et j'entrerais en flirt, vérifier mes nouveaux pouvoirs. Elle attrape le badinage au vol, joue l'effarouchée :

– Pas de moi j'espère… ?

Rien, je ne bouge pas, rien que respirer large, la fixer bien au fond de ses yeux d'eau claire que je vois changer soudain, se troubler comme un ruisseau de sable remué.

– Eh ben mon salaud…

Et elle referme sa portière. À l'instant j'ai fait un pas, je passe la tête par la vitre descendue et j'embrasse sa joue, vite enfui dans le chai avant qu'elle me foute une claque. Je suis déjà en train de me verser deux doigts de rouge, assis sur mon lit de camp, même pas encore je réalise que Bernier est en très mauvais état, trop content de ma liberté de parole et de mes petits débuts auprès des dames… Et j'entends l'auto repartir en même temps qu'Antoine descend des passerelles au-dessus des cuves :

– Oh là, petit, un Sablet dès le matin, tu seras cuit à midi ! Et puis le vin, ici on le vend, tu comprends ?

Avec l'accent, la remarque est presque tendre. Il n'empêche, j'ai compris l'interdit de piller la cave : Antoine est l'homme de la maison, amoureux d'Edwige au point de mourir pour défendre ses intérêts, même sans espoir.

– Allez, va, reste pas là… J'ai des embouteillages à préparer… Et j'ai peur de manquer de bouteilles neuves… Déjà que ces putains de répétitions l'après-midi, ça me mange la sieste…

Et Bernier te ronge le cœur, inutile de le préciser.

Dans la cour, la lumière lourde immobilise les bâtiments, leur pèse sur le dos, au front, au mien aussi, à presque me couper le souffle, et je suis cueilli par la voix de Bernier, plus forte que les craquements des cigales :

– Petit Peres ! Viens par ici qu'on cause !

Il est sur la galerie, la panse calée à la rambarde de pierre, chemise blanche et bretelles rouges, son uniforme, décoiffé en plein soleil et la trogne sournoise derrière la barbe.

Sa chambre, la belle, à meubles de noyer, la seule à avoir accès à la galerie, est en capharnaüm, des bagages ouverts comme on éventre, des bouquins, des brochures à la volée partout. Il est déjà assis, ogresque, à une petite table couverte de paperasses. Une bouteille entamée sert de presse-papiers à l'ordonnance de Béatrice, je vois parfaitement l'en-tête :

– Chaque matin, dix heures, tu viens prendre ici, que je dorme ou pas, le tableau de service du jour et tu l'affiches en bas... Vu ? Ensuite tu te débrouilles pour trouver les accessoires nécessaires... Faudra les dénicher sur place, ne rien acheter. C'est pas grand-chose, on joue en costumes modernes, et tu connais tout le monde ici, non ? Demande d'abord à Edwige et Simone... Nicolas et François débarquent dans un ou deux jours d'Avignon installer les éclairages et le plateau, tu laisses faire... Tiens : aujourd'hui mise en place sommaire du premier acte... Besoin des deux lettres de Falstaff à ces dames Ford et Page, c'est tout.

Il me tend un feuillet gribouillé.

– Ah, dernière chose : je ne fais pas du théâtre chiant et je veux qu'on ait du plaisir sur scène et en coulisse... Histoire de rester dans l'ambiance bachique de la pièce… Fin du travail à minuit, après faudra qu'on puisse nourrir les personnages et les hommes. Je te nomme intendant des menus plaisirs. Edwige refuse qu'on festoie chez elle en dehors des repas… Donc tu repères un lieu pas loin, et tu approvisionnes… Musique, bouffe, et surtout du vin ! Du vin ! De joyeuses bouteilles en quantité ! Dès ce soir. Tiens, cinquante euros par jour, faudra te démerder avec ce budget. Vu ?

Et il me tend un billet chiffonné en boule.

— Vu. Des joyeuses… On garde le mot… ? Pour que les *Commères* le soient.

— T'es bien le fils de ton père. Les joyeuses, c'est aussi les couilles en argot, hein, tu le sais ? Alors on va calmer tous les appétits, petit Peres ! Je suis sûr, on va s'amuser ensemble.

Et son rire à provoquer des courants d'air, faire claquer les portes, me fout dehors.

Pendant que je punaise le tableau de service sur un volet du rez-de-chaussée, je commence à paniquer de toutes mes missions. On me demande d'ouvrir un club privé, ni plus ni moins, de le gérer, surtout de trouver les murs d'ici ce soir, sans compter le reste…

Cette vie depuis hier, elle va trop vite pour moi. Moi qui ai seulement envie de continuer à parler. Maintenant j'ai le philtre magique de la parole, et du peu de mots prononcés deux dames ont jeté les yeux sur moi, nom de Dieu, je suis beau et je vais être amoureux de toutes les femmes ! Tu verras, papa, toi l'absent qui me parle comme à un regret, tu seras un gamin à côté de moi... « Ah tu verras, tu verras, le diable est fait pour ça, tu verras, tu verras... »

Et j'arrête Nougaro parce que je trébuche sur les « t », m'étrangle sur les « r », et Simone est au seuil du vestibule, toute noiraude d'ombre. Elle a le doigt au milieu des mots endormis d'un de mes bouquins et ses airs de reine des sables, d'Antinéa altière. Sa façon de compenser un physique miniature et trop sec, pas laisser voir qu'elle est douce, pleure en lisant. Moi je le sais. Parfois, on mêle nos larmes.

— Tu t'es installé ? Parfait. Viens dans le bureau, j'ai des trucs à vérifier, des livraisons, pendant qu'on parle...

Hortense et Mélanie, en maillot de bain et lunettes solaires, la peau bien blanche, chair grasse d'hétaïres, sont en train de tirer des transats près du platane, brochure de la pièce sous le bras. Pas d'Emma en vue.

Parler, je voudrais bien mais l'effet du vin commence à me passer, les phrases se nouent à mon gosier. Je me contente de rester assis dans un coin de la pièce climatisée, meublée fonctionnel et design, d'écouter tandis que Simone feuillette des registres, consulte les ordinateurs :

— D'après Antoine, il manque vingt mille bouteilles neuves… Les écussonnées en relief, avec millésime gravé… Que je suis certaine d'avoir commandées… On ne peut pas embouteiller le cru Gigondas, merde… Voilà, la facture a été réglée et ces cons du transport n'ont pas tout livré… J'espère que nous on n'a pas signé le bordereau sur le total… Deux cent mille…

Elle refarfouille, elle sait que je ne répondrai pas, mais sa voix nous tient ensemble dans une illusoire intimité sonore.

— Non, voilà, ouf, cent quatre-vingt mille, et le paraphe d'Antoine… Mon ami, faudrait pas te prendre pour le maître de maison, je vais te tirer les oreilles… Et demander le solde de livraison…

Hop, elle pianote, passe sur mail, repianote, envoie sans cesser de monologuer.

– Est-ce que tu sais pourquoi maman finance cette pièce ? Je lui ai demandé, elle a répondu que Jean-Pierre aurait pu être mon père... Ça me fait une belle jambe vu que mon père je le connais pas...

Moi non plus je ne connais pas le mien. Même son odeur, il ne la laisse pas chez nous, pas le temps...

– Et puis accepter de jouer une maquerelle dans cette mascarade, je n'aurais jamais cru ça de ma mère... Si encore c'étaient des stars... Mais non... Tous des chevaux de retour, des nostalgiques de 68, leur âge d'or, sauf qu'aujourd'hui ils sont pelés et malades... Le docteur Meffre est venue ce matin pour Bernier... Je suis bête, t'es au courant, je t'ai vu descendre de sa voiture... J'espère que maman n'a pas un retour de flamme... Il n'a pas sa place dans la famille... Le père de maman s'était associé, tout jeune, dans un vignoble en Algérie. Il a cédé ses parts pour revenir avec sa famille au domaine en 57, à la mort de son père, et à cause des événements... Maman avait dix ans... À l'époque quasi rien, que des parcelles sur Sablet... Il a eu l'idée de planter des vignes sur tout ce qu'il a pu racheter d'oliveraies mortes alentour... Parce que l'hiver 56 avait gelé tous les oliviers... Et dès 62, juste à l'indépendance de l'Algérie, on produisait du Gigondas, du Vacqueyras... L'histoire d'un type au nez creux et d'une fortune, d'une lignée... Pas celle d'un vieux saltimbanque qui veut rejouer une scène d'amour en souffrant de varices !

M'en fous de ses aigreurs d'aristo du vin, qu'elle trouille de voir Edwige brader l'héritage, j'aurais voulu qu'elle me lise des passages du bouquin, *Magnus*, posé à l'envers sur le bureau, celui où le narrateur voit un homme accompagner la mort de sa femme, celui... Là on aurait vécu, pas bavardé. Alors autant la solliciter tout de suite, accomplir mes tâches et filer avaler un petit coup et puis partir en quête d'Emma, voir si le charme opère encore. J'attrape un stylo, griffonne, est-ce que je peux disposer chaque nuit du grenier de la Tuilerie, à l'étage des œils-de-bœuf, y chercher des accessoires et nettoyer, mettre une chaîne hi-fi, ce serait le foyer des comédiens, faudrait aussi du vin, pas mal...

Elle a lu par-dessus mon épaule et arrête ma main de sa petite main sèche :

– Hors de question. Même pour le vin...

Mais pour les accessoires, monte voir si une vieillerie t'est utile…

Et elle reprend le livre, le referme sans garder la page :

– On en parlera peut-être quand j'aurai fini de le lire.

Voilà pourquoi je dérange Béatrice en pleine consultation, pas mécontent de l'alibi pour lui reparler, mesurer mes pouvoirs d'homme de parole. Avant de composer son numéro, j'avale deux coups de rouge. Il me faut un endroit pour des réceptions nocturnes, tout de suite. Est-ce que parmi ses patients elle connaîtrait…

– Midi et demi, je te prends au portail du domaine.

Et elle raccroche.

À l'heure dite, je suis adossé à un des piliers de la grille ouverte, j'ai repris en fraude quelques rasades de rosé lumineux, je t'emmerde Antoine et toi aussi Simone. J'attends, la chemise déboutonnée désinvolte, l'œil lointain, gravure dandy, j'espère. Elle ne remarque même pas, demi-tour rapide avec sa Peugeot, juste un geste, que je grimpe vite, et on redévale la route empierrée, doucement au passage plus étroit du ravin, jusqu'à prendre à droite la route de Gigondas. Pas longtemps, je ne dis rien, je m'économise la parole, elle non plus, elle négocie le double lacet qui monte au petit plateau et tourne aussitôt, encore à droite, dans un chemin cahoteux. Là, une maison, grincheuse, ancienne, en pierre, avec un jardinet devant, tous volets fermés, et alentour des vignes bien rangées, rassurantes, qui habillent la plaine jusqu'aux collines de l'autre côté, un paysage en costume rayé.

On descend. Béatrice sort des clés et on est dans une salle pas mal vaste dont elle pousse les volets en façade. Et le soleil vient sur sa robe de coton blanc à larges pans ouverts, une chasuble de moinesse qui n'a pas froid aux yeux. Tout de suite, le tour du propriétaire au galop... Une porte-fenêtre, derrière, donne sur un jardin de ronces, d'herbes brûlées et un bassin provençal, glauque, envahi d'algues. Elle le fera nettoyer. Après il y a la cuisine et une buanderie-cellier, compteur d'eau et d'électricité, c'est tout au rez-de-chaussée. Murs en pierre, sans enduit. Les meubles y sont, rustiques, récupérés en brocantes de bon goût, même une platine CD. À peine un voile de poussière. Parfait! Béatrice me montre l'escalier, au fond:

– Quatre chambres au premier, une seule vraiment en état, et une salle de bains. Autrefois, on logeait les vendangeurs saisonniers ici... Des Portugais, des Arabes, des Espagnols... Souvent clandestins...

– Elle t'appartient?

– Héritée de Bertrand, mon mari...

Cette voix de fracas me surprend, comme si on y brisait de la vaisselle. Elle me tend le trousseau:

– Elle est à toi à une condition: que je puisse participer à tes fêtes...

À un pas de moi, encadrée de lumière, je vois bien qu'elle palpite, les taches de rousseur à son petit visage de sale gamine ont foncé et elle a des yeux de crépuscule:

– Tu veux savoir la raison? Parce que Bertrand y amenait ses maîtresses sous couvert de rénover un bien acheté à Edwige pour une bouchée de pain. Tu comprends pourquoi il n'a retapé qu'une chambre? On baise dans un seul lit... Tout Sablet était au courant, sauf moi. Il s'est tué en bagnole avec une petite! Alors ici je veux être une garce quand ça me chantera et insulter son ombre quand il me plaira! Si j'ai la force...

Et elle me tombe à la poitrine, je ferme les bras sur son corps de femme, c'est la première fois, c'est paradis, je lui picore les cheveux n'importe comment, ses larmes me mouillent la chemise et je suis tout bête, à pas savoir y faire, paniquer, et mes mains sont à ses hanches, oh Béatrice, Béatrice...! Elle s'écarte, j'approche mes lèvres des siennes, ça y est, je parle, et la caresse naît de la parole, j'ai le sésame, l'élixir d'amour, mais elle pose la main sur ma bouche, les joues toutes ravagées de pleurer encore, et puis elle l'enlève, me donne un baiser de rossignol, un souffle à peine.

— N'essaie pas de prendre modèle sur ton père... Parce que tu te trompes : il n'a aimé qu'une femme dans sa vie... Mina, ta mère... Ses manières de séducteur éternel, c'est de la pudeur, du cache-chagrin... Ne dis pas que tu m'aimes pour le plaisir des mots nouveaux, quand tu n'auras plus besoin de parler, j'écouterai peut-être tes mains... En attendant, la maison est à toi. Pour le vin je ne peux rien... Essaie de te débrouiller avec le caveau du Gravillas, la coopérative...

Tout refroidi, pivoine à ne plus savoir où me mettre, je sors juste mon billet de cinquante.

– T'iras pas loin... Deux cubis... Fais-toi ouvrir un compte au nom de la production théâtrale... À la fin quelqu'un sera bien obligé de payer...

Et elle clôt les volets. C'est moi qui ai maintenant les clés et referme derrière nous.

– Mmmmerci bbbeaueaucoup !

Jeune con que je suis ! Qu'est-ce que tu penserais de moi, maman, si tu avais vécu, de mes yeux en biais sur les genoux de Béatrice qui me reconduit au domaine, comme un gamin récupéré à la sortie du lycée, de mes boissons à libérer la parole ? Nos cinq ans ensemble, je me souviens d'abord de tes discussions obscures avec papa qui finissaient par des baisers, ensuite de tes efforts pour me faire répéter un mot, à commencer par « maman », gagner du terrain sur une phrase, syllabe à syllabe... Ton accent brouillait mes efforts, je ne savais plus s'il fallait imiter ta prononciation à l'italienne, ce foutu roulement des « r », celle d'ici ou le parler pointu de papa ! J'en restais enrayé, interdit. Tu en pleurais, madone accablée, recommençais la leçon, rrrépète Rrrico. Dans mon esprit de tout-petit, je trouvais que tu bégayais presque autant que moi. Et puis tu me prenais contre toi, tournais les yeux vers ton enfance, me caressais les cheveux avec des douceurs en italien, ragazzino mio, j'étais en paix... Alors pourquoi parler, mon paradis était ce silence traversé d'oiseaux roucoulants, et ta peau douce... À ta mort, je n'ai pas bien compris les désarrois de papa, le trou que ton absence creusait entre nous, je n'ai ressenti que ce grand courant d'air en moi, l'inutilité de m'exprimer... Papa parlait à ma place et ensuite il racontait à qui voulait ses conquêtes, je n'avais pas besoin de ces mots qui te trahissaient maman... Mais Béatrice n'est pas ma mère. Ni Emma ! J'ai lu Freud, il ne m'aura pas, je désire ces femmes à la virile, pas en gamin complexé ! Et là j'ai besoin du langage.

L'après-midi de ce premier jour, la soirée, passons. On a débroussaillé l'acte un. La cour était transformée en scène grâce à quelques éléments, un drap à sécher sur la galerie disant qu'on est devant la maison de Page, un fût vers le chai c'est l'auberge, un chiffon blanc taché de sang (en réalité du vin bouchonné!), jeté à l'anse d'un plat d'étain nous installe chez le docteur Caïus. Il a fallu trouver ses marques, même les vieux routiers, Dufour, Raymond, avaient du mal avec les indications de Bernier, alors les amateurs d'ici! Pas de diction soignée, on mord dans les mots, on se déplace en courant presque, comme un animal, les regards toujours aux aguets, jamais l'œil fixe, et aucun tabou des corps, on se touche, on se palpe, on se renifle, on va à la chair! Ça, il a donné l'exemple, ses brigands, Pistolet, Nym, mon Falstaff te leur envoyait de ces bourrades ! Et les scènes entre Quickly et les valets…! Edwige proposait un personnage faux cul, tout dans le sourire affecté. Pour dire, je crois qu'elle jouait son propre trac… Et il l'arrêtait, mais non t'as rien compris, on monte pas du Marivaux, lui montrait l'obscène, les désirs exacerbés d'une entremetteuse frustrée de servir ceux des autres. Agrippe-le pleine pogne, le larbin de Slender, « Alors tu dis que ton nom est Peter Simple, hein…? » Là on comprend la nature à l'œuvre, Dionysos caché sous Apollon, l'ivresse tragique ! À propos, petit Peres, t'as du rosé au frais ? Et il venait à ma table de régie lamper une gorgée, repartait, totalement en eau, le cheveu rebiqué, demander à Edwige de se laisser flatter la croupe par son maître Caïus. Elle en attrapait des suées. Comme tous d'ailleurs.

Ceux qui n'étaient pas en scène se réfugiaient sous le platane, les autres cuisaient en pleine fournaise aux dalles de la cour, qu'on aurait dit des coquelicots avec des chapeaux de paille. Dufour et Raymond supportaient stoïquement, comme des vieux roseaux déjà fanés de sécheresse. Les commères, Hortense et Mélanie, avaient des vapeurs d'odalisques au hammam, Bruno l'adjoint et Serge l'instit, deux prétendants d'Anne Page, cherchaient l'ombre, affolés de chaleur et qu'on chahute ainsi leur pudeur. Bernier te les repoussait au soleil à grosses tapes sur les fesses. Moi à une table de face en lisière de l'ombre du platane, trois joyeuses de rosé dans un seau à mes pieds, affranchi par des bisous réguliers à leur goulot, je m'efforçais de commencer une poursuite de mise en scène, en l'absence de François, l'assistant attitré. Emma, qui a un tout petit passage dans le un, m'aidait :

– Attends, tu numérotes les lignes de texte page de droite et tu reportes le numéro page de gauche, celle qui est vierge, avec le déplacement ou l'humeur indiqués par Jean-Pierre...

Elle, elle avait compris la ligne dramaturgique, elle jouait même en coulisse, elle lâchait la bride à ses envies, assise tout contre moi à ma table, en petit T-shirt trempé de sueur, et que je te pose la main sur la cuisse, et que... Tout l'après-midi et la soirée, j'ai senti les clés des vendangeurs dans ma poche et pensé à Béatrice dans l'odeur cuivrée d'Emma. J'étais hors de moi, spectateur désincarné de cette illusion où j'avais ma place, la parole, où personne ne ricanait de mes borborygmes. Je virais Éros mystique.

Simone n'a pas paru de la journée.

À la pause, Antoine m'a prêté l'antique Renault 4 du domaine et roulez jeunesse, je suis parti en courses, en ivresse lucide, pilotant un tapis volant bruyant, un nuage brinquebalant. Pain, fromages, salades, des verres bon marché, couverts en plastique, assiettes en carton, et le vin du caveau des Gravillas, à deux pas de chez moi où j'ai pris un choix de CD. L'arnaque de Béatrice a fonctionné : j'ai mis dix caisses de douze bouteilles et cinq cubis de dix litres sur le compte d'Edwige, productrice des représentations. Pas peu fier quand je suis allé tout entreposer à la maison des vendangeurs. Les victuailles au frigo, le vin dans le cellier, j'ai arrangé la salle de façon à avoir un large espace au milieu, la longue table de couvent et les meubles contre les murs. Même nettoyé vite fait le salon de jardin, sur la petite terrasse derrière. Après, je me suis assis une seconde à goûter un Vacqueyras dans l'air qui rougissait. Et j'ai chanté « Il suffirait de presque rien, peut-être dix années de moins, pour que je te dise

je t'aime… », à pleine voix, pour me faire le
gosier, décupler le plaisir de la simple parole.
Et puis j'ai gueulé à peu près du Desnos,
j'ai tant rêvé de toi que tu perds ta réalité…
J'ai tant rêvé de toi que mes bras habitués
en étreignant ton ombre à se croiser sur
ma poitrine ne se plieraient pas au contour
de ton corps… Et mes mains elles sont
faites pour quel corps ? Des ombres se sont
étreintes ici et ont laissé au cœur vivant
de Béatrice toute cette douleur, et avant,
des exilés sans le sou, des hors du temps, des
bannis de tout lieu, peut-être mon grand-
père Peres, émigré espagnol en 36, ont rêvé
ici du pays, de la femme là-bas, et ils ont
croisé leurs bras sur l'image d'un bonheur
simple… Et moi j'ai étreint aujourd'hui ici
une chair palpitante, j'ai baisé sur des lèvres
la naissance de mes propres mots, ou peut-
être je rêve… C'est le vin… Cette maison est
en colère, avec ses murs de pierre hérissée.
Le vin que j'y bois prend un goût chagrin, un
dur parfum de schiste ou de grès et une tris-
tesse minérale me coule dans la gorge.

Je rentre à la Tuilerie avec des sanglots
soudains et pas de larmes. Et j'ai faim. Pas
mangé ce midi, trop tard ce soir pour partager le repas de la troupe. Très bien, je ferai

comme l'autre Peres, Marcel, accomplir l'initiation du comédien, ne rien avaler de solide toute la semaine. Si seulement je pouvais en demeurer éternellement bavard alors que le vin me délie la langue quelques heures seulement ! À moins que les femmes, cette autre ivresse… Possible qu'une beauté m'accorde ses faveurs si je suis capable de boire assez pour surmonter toutes mes impuissances, lui dire l'amour sans bégayer… Emma, Béatrice, laquelle me tirera une déclaration ?

J'arrive juste pour la répé du soir, que Bernier écourte, trop de chaleur encore, l'éclairage permet à peine de lire les répliques, il faut se dépêcher d'apprendre les textes, brochure en main on n'a pas les regards entre les acteurs, on est manchots, or faut se déboutonner, d'ailleurs demain midi tout le monde à poil sous la galerie, qu'il n'y ait plus de pudibonderies déplacées, arrachez-moi les oripeaux de la prétendue civilisation ! Hortense et Mélanie en ont entendu de plus vertes, elles s'épongent la gorge, l'adjoint et l'instit ont des sourires résignés, Emma me regarde, Dufour hausse les épaules et Edwige, Edwige rentre sur un bonsoir rapide. Comme je rassemble mes papiers, Bernier vient me broyer l'épaule, l'œil plissé, tout matois et ronronnant :

– Alors, petit Peres, tu l'emmènes à quelle auberge, tonton Falstaff ?

Et la réponse bête me vient toute crue :

– Ce n'est pas une auberge, c'est le pays de la nuit.

– Suffit qu'une jolie femme y règne, ça me va...

Réplique digne de mon père.

Bernier avait prévenu de la fiesta parce que tout le monde, sauf lui, s'est mis propre d'avance, des robes légères et des chemises avec les plis de repassage.

Toute la soirée, par la fenêtre éclairée, on avait vu Antoine, qui n'est pas de l'acte un, et Simone se chamailler en silence dans le bureau. Pile à ce moment, ils éteignent. Et Antoine nous rejoint. Simone, pas un regard, regagne l'étage des maîtres.

À la maison des vendangeurs, une lueur de lampes sourdes coule à peine, comme les braises sombres d'un ancien feu, par les fenêtres du rez-de-chaussée et la porte, ouverte en grand. Et quand on coupe le moteur des autos arrivées à la queue leu leu, on entend Paolo Conte, « *Cosi eravamo noi...* » Exprès pour me rappeler maman ?

La table est garnie, dînette en place, piles de vaisselle, couverts dans des pots, bouteilles débouchées. Béatrice attend au bord de la terrasse, sous deux lanternes allumées devant le jardin. Jamais je ne l'ai vue si maquillée, à la fatale, charbonneuse, et le reste à l'avenant, mules noires à talons hauts et une robe de coton blanc, dos nu, décolleté profond à revers, boutonnée devant, « *Sotto le stelle del jazz...* » Et moi je ne me sens plus, je valdingue dans le cliché conjugal, un mari de retour chez lui, attendu par l'épouse, pour un peu je dénouerais la cravate que j'ai pas, je bisouterais madame avant d'allumer la télé et de demander ce qu'on a pour dîner. Presque vingt ans et des envies de pantoufles ! Petit péteux, va, je te hais ! Tout ce que je peux c'est aller lui prendre la main, merci Béatrice, et lui baiser la paume. Elle a des yeux de noyée sous le fard à paupières et ses lèvres écarlates tremblent.

– Ça te plaît ?

– Toi, oui...

Gonflé, avec mon cœur dilaté qui fait battre ma chemise à chaque pulsation. Mais elle sourit déjà aux autres qui entrent,

57

s'exclament, Dufour enlace Mélanie la bouclée, bricole un slow joue contre joue en lui écrasant les arpions, elle rit parce qu'il lui souffle dans le cou, «*sotto la luna del jazz*», le rouge, le rosé coulent dans les verres, on se tartine de la tapenade sur de larges tranchées de pain, du saucisson aux noix à belles rondelles, l'instit joue à l'instit avec Hortense, commente déjà ce qu'il lui sert, un vin féminin, pas trop tannique, élevé en barriques dont le bois a un grain très fin... Je t'en foutrais du grain, t'es en train d'apprécier celui de sa peau! Antoine a traversé la salle, direct, déambule du côté du bassin, regarde les vignes dormir au-delà, tout ballant, blafard de lune comme un revenant timide, «... *nel tempo fatto di attimi...*» Le temps de faire les présentations entre deux verres de n'importe quoi, Béatrice notre hôtesse, Raymond, Mélanie, Béatrice, qu'ils l'embrassent tous, qu'elle promette la baignade pour demain, le bassin nettoyé, Emma est restée assise dans le canapé, en princesse boudeuse, et faudra bien que je tranche vite dans mes élans amoureux, elle est sensuelle à te rendre aveugle, là, éclairée en douche par une applique pâle, que la lumière lui caresse la poitrine, accroche à peine aux tétons qui pointent, glisse le long de ses cuisses, sur le satin vanille de sa robe lingerie. Je lui amène Béatrice :

– Béatrice Meffre, maîtresse de céans, médecin, Emma Willems, comédienne, notre Anne Page dans la pièce…

Elles sont enchantées, sourient féroce, s'évaluent mutuellement les élégances, les rondeurs bandantes et l'outrage des ans, se guettent la ride véloce et la pesante graisse, et puis rien, t'es toute nue sous ton pull, jolie môme… Et moi j'en pétille de partout, couillon de petit roi lion qui croit voir deux femelles montrer les crocs pour être sa favorite.

– Reste notre Falstaff, qui doit…

Et je m'aperçois que Bernier n'est pas dans la salle. Il est resté au mitan du jardinet devant, les pieds dans les herbes folles, pile dans l'ombre lumineuse d'une fenêtre, vieux comédien perdu en lisière des projecteurs avant d'entrer en scène, certain d'avoir oublié son texte, au point que je me demande si un nouveau malaise…

– Ça va ?

Il garde les yeux levés sur la bâtisse, étonné, et sa pogne d'ogre vient m'agripper le bras. Il murmure :

– Le pays de la nuit, hein ? Tu sais, petit Peres, que ton père et moi on a habité ici un été ? Et à la fin de cet été, l'année était en ruine… Et peut-être nos destins scellés…

– Quelle année ?

– La seule où j'ai vécu.

Des répliques pareilles, dans mon état où j'ai des étoiles plein le gosier, c'est ni chaud ni froid :

– On rentre ? J'ai fait le plein de joyeuses…

Alors il me considère un instant, demi-sourire doux, comme un qui part à jamais, puis me pousse vers la porte et Béatrice venue à notre rencontre. D'un seul souffle, surtout ne pas bafouiller, j'expédie les mondanités :

– Voilà la dame qui règne sur ce royaume nocturne. Vous vous connaissez déjà très intimement, je crois…

Bernier ose le baisemain, se rengorge dans ses bretelles rouges, les lèvres humides :

– Pour vous, madame, ici je ne serai que Falstaff, massif et un, et dévoué à vos charmes !

Courte révérence de Béatrice :

– Je demeure, moi, la gardienne de vos artères !

– Alors sers-moi du vin, puisque mon cœur t'est acquis !

Et les voilà à tituber de rigolade d'avoir improvisé cette saynète. Comme d'accoutumée, je suis exclu du jeu, je les regarde trinquer en s'essuyant les yeux. Allez comprendre, cette beauté qui me fait tout à l'heure le coup du blé en herbe, à flirter maintenant avec ce poussah à l'agonie… Me reste à danser avec Emma, si elle veut bien m'apprendre. Inutile de demander, « *Deep in the dark you kiss me* », elle s'est collée contre mon dos, oh Rico, Rico, je la sens onduler, je lève les bras et elle se faufile dessous, ses mains à mes fesses, s'enfouit le visage à l'échancrure de ma chemise puante des chaleurs du jour et me grignote le poitrail sans arrêter de bouger en rythme, et moi immobile, je m'envole, j'ai du Desnos aux lèvres et je referme mon étreinte sur son corps réel, nom de Dieu, c'est ça danser ?

Plus tard, la compagnie somnole dans les coins, peut-être même quelqu'un est monté aux chambres, Mélanie la bouclée peut-être, avec l'instit Serge peut-être, qui fait si bien la leçon de choses. Dufour sirote en s'occupant de la musique. Raymond s'est enfui depuis longtemps. Hortense l'a cafté :

il joue, des pokers dangereux chaque nuit qu'il peut... Les croquants du village ont déserté, le docteur Caïus, le curé Evans, et consorts, Antoine piétine furieusement les ronces du jardin, débroussaille à pleines poignées... Mon salaud d'adjoint Bruno tripatouille Béatrice, je te vois mon cochon, sur la terrasse, à faire semblant de chalouper lentement « *The Dock of the Bay* ». Emma s'est endormie contre moi, mon verre est vide et je n'ose pas bouger. Bernier, après avoir traîné l'espadrille par la maison toute la soirée, a fini par s'isoler au jardin en buvant au goulot, et il s'aperçoit de ma détresse alors qu'il rentre déboucher une bouteille. Grand seigneur, il vient s'accroupir devant moi, énorme, monstre hirsute au souffle court, et remplir mon verre :

– 68, petit Peres, c'était l'année 68. Celle où Antoine a été embauché à la Tuilerie... Un lascar qui venait de finir son temps à la légion... Dix ans de crapahut... La fin de l'Algérie, il y était... Côté maintien de l'ordre... Faut croire que la violence conserve... Tu lui donnerais soixante-dix balais ?

Je comprends mieux pourquoi cet ours a accepté de danser debout sur les planches.

Vieille camaraderie d'armes… Autant que la soumission à Edwige…

– Ton père venait de finir son droit des sociétés, moi je revenais d'Avignon. J'y avais rencontré Gérard Gelas du Chêne Noir, Julian Beck du Living Theatre, j'allais décrocher la lune et présenter le Conservatoire. J'étais assez crétin pour à la fois mépriser Jean Vilar et vouloir les ors du Français. Les chars soviétiques à Prague, je hurlais contre, avec les loups, mais je m'en tamponnais… L'engagement politique était mon premier rôle… Des raisins de la colère, j'appréciais surtout les grappes… Je me croyais rebelle, j'étais égoïste, arriviste… Ton père, pareil… On a fait les vendanges comme un adieu à la jeunesse. Edwige avait vingt ans. Tu comprends ? Je déclamais des poèmes imbéciles pour elle… Et un soir elle, la fille du domaine, l'ancienne petite princesse des vignobles algériens, est venue dormir ici, avec nous et les autres… Il y avait des matelas partout, dans les chambres, cette pièce, même la cuisine… Simone est ma fille, il faut que tu le saches, petit Peres… Et il était temps que je reconnaisse la réalité…

Pour moi, il parle d'avant le déluge, il peut bien me tapoter le genou, plisser un œil complice, je suis étranger à ses paradis perdus. Simplement j'ignore pourquoi il s'abandonne à ces confessions, tout justement auprès de moi, et je sais la trouille de Simone, je le trouve indécent :

– En venant jouer une dernière comédie ? Simone n'est pas la fille de Falstaff... Falstaff n'a pas de famille !

Et je me lève, je le laisse ruminer ses revenez-y au chevet d'Emma qui grogne dans son sommeil, je les laisse tous, je suis tout petit, j'ai pas la force d'encaisser vos désirs et vos remords d'adultes rongés de temps, j'essaie juste de naître à la parole et je suis saoul, je ne mange plus, j'ai besoin d'un livre, d'aimer Bovary, de consoler madame de Rênal, d'accompagner Frédéric Moreau au bordel, la règle de vos jeux, je n'y comprends rien, j'abandonne le théâtre des opérations, retour à la Tuilerie dans ma Renault 4, n'importe quel goulot aux lèvres, même pas foutu de passer la seconde. Devant le ravin aux tessons dressés de tra-viole comme des pierres tombales profanées, je ralentis au point de caler. J'en profite pour sécher mon fond de rouge et dans ma logique de cuité, faut que j'envoie la bouteille exploser parmi ses consœurs mortes, là en bas… Je descends laborieusement juste comme la voiture d'Antoine stoppe derrière la mienne, me prend dans ses phares, mon flacon brandi, j'hésite une seconde et j'entends :

– Non…!

Antoine est déjà sur moi, me confisque ma bouteille.

– Pourquoi pas ? Je croyais que ça portait bonheur… Comme lancer des pièces dans la fontaine machin, à Rome…

– T'es pas à Rome petit… Ce qui dort là c'est du malheur qu'il faut pas réveiller… Dégage le chemin maintenant et au pieu…

Bon, sûrement le chauffeur du camion qui a versé jadis est mort dans l'accident et j'allais commettre un sacrilège, je remonte en auto, passe la grille bien au milieu, l'allée de platanes pareil, jusqu'au flanc du chai, contact coupé, frein à main, et hop, mon lit de camp au pied des cuves de vinification. Rideau.

À partir de cette première fête, j'ai été pire qu'un alcoolique, même si je buvais presque en continu, obsédé par la fourniture nécessaire d'un contingent suffisant de bouteilles chaque soir, et je m'éveillais avec la sensation de leur manque, l'angoisse de n'en pas trouver assez pour payer mon obole et monter avec les autres dans la barque de la nuit. J'ai éprouvé les terreurs de Schéhérazade à l'aube, certaine d'avoir épuisé son imagination. En même temps, la terreur que la magie du vin n'opère plus me tordait l'âme, j'allais ôter la bonde d'une barrique au hasard, voler vite fait une pleine pipette du premier cru venu et boire à la régalade de quoi participer dès le matin à la conversation du monde. Pour partir du bon pied je prenais même mes douches en plein air derrière la zone de réception des raisins, sous le réservoir dont Antoine se sert pour remplir ses citernes à sulfatage. Tout ce mois, ce fut mon unique salle de bains, chaque jour j'y étais nu sous l'eau glacée par la nuit, à me faire passer la gueule de bois. Rustique pour rustique, j'en profitais parfois pour ma lessive, ouvrir le robinet tout habillé, me savonner le jean, la chemise, le caleçon, à même la peau et rincer pareil, au tuyau. Il est arrivé que mes frusques sèchent sur moi au soleil, que j'aille chercher le tableau de service dans la chambre de Bernier, l'échine fumante de vapeur. Je retournais sauvage, je robinsonnais, halluciné, à deux pas de la villa cossue de mon père.

Tu m'aurais vu, papa, rien que la peau sur les os, tu m'aurais parlé de tes ventes au Japon, de marier le sushi au Vacqueyras, et tu n'aurais même pas compris ma grève de la faim, mes appétits de parole, tu aurais parlé au lieu de regarder.

La première semaine, comme j'étais en plein jeûne, je vivais dans un mirage perpétuel, avec des vertiges soudains. Après, l'univers a retrouvé sa consistance minérale. Quand j'ai mangé presque à proportion de ce que je buvais. Mais chaque jour j'ai usé mes matinées à courir la joyeuse. Cinquante euros quotidiens, j'étais loin du Pérou! Il me fallait des dons en nature pour régaler la maison des vendangeurs. La fille du caveau des Gravillas a vite compris, madame Cabrières, Edwige, avait téléphoné, on coupe les subsides. Quand elle a participé aux soirées, Edwige m'autorisait un quota de bouteilles du domaine, des broutilles qui n'auraient pas suffi au plus sobre d'entre nous... Alors j'ai sollicité les copains de mon père, ah tu es le petit Rico, et ton père, David, comment il va, au domaine de Verquière, celui de Piaugier, de Mourchon, chez Christian Bonfils, le château du Trignon à Gigondas... En échange de quelques cartons, je promettais une publicité dans le programme des *Commères*, je suppliais en bafouillant, je suscitais la pitié, si on me disait non, j'allais faire semblant de pleurer, appuyé au toit de ma R4... Quand une femme me recevait la partie était plus facile, je battais des cils, j'osais poser la main sur un bras nu, j'embrassais beaucoup, d'avance, comme spontanément, et ma foi, le charme dont je commençais seulement d'être conscient et qui me saoulait autant que le vin, opérait... Une fois même, j'ai

68

presque pris la fuite, entrepris par une plantureuse entre deux âges. Encore bien novice, j'ai réussi à bredouiller que j'allais livrer, je reviendrais avant midi ! Peut-être vous pensez que je l'ai rêvée cette scène rayée d'un vaudeville... Mais l'affaire était à deux doigts, je le jure. Par la suite j'ai tâché de garder une distance séduisante, obtenir sans donner... Ces dames ne m'en voulaient pas, je crois. Je me sentais quand même gigolo, un de ceux des contes de Maupassant. *Bel-Ami*, tiens... Toutes ces maraudes de vin, j'en profitais pour déguster, gagner quelques heures de paroles que je n'aurais pas à voler dans les tonneaux de la Tuilerie.

Pourtant, avant mes quêtes forcenées de vin, le deuxième jour de répétition, vers midi, je suis resté sans voix. D'abord parce que j'étais encore sobre : pour tenir sans trop de dommages ma promesse de jeûne, je me calculais une ivresse très progressive. Mais surtout, en sortant du chai, brochure sous le bras, je n'ai pas immédiatement compris l'énorme clameur de rire qui ricochait aux dalles de la cour. Toute la troupe se tient les côtes, même Simone, c'est dire, pousse des petits cris d'asphyxie : l'instit Serge et ce demeuré d'adjoint, Bruno, sont nus, tout juste débarqués de leur voiture, pile sous le soleil, une main sur le sexe, raides de honte. Leurs vêtements sont encore jetés sur le capot de l'auto. Et Bruno, pectoraux bien gonflés, fier de son anatomie, n'arrête pas de répéter :

– Jean-Pierre a dit tout le monde à poil ! Alors à qui on obéit ici, hein ? À qui on obéit ?

Serge, pas si gringalet qu'il y paraît une fois habillé, donne immédiatement la réplique :

– Dans ma classe c'est moi qui commande ! On fait ce que je dis !

Et Emma qui les montre du doigt, essuie des larmes de fou rire, s'ils pouvaient la mordre...!

Et puis ça se calme, ils renfilent leurs habits, humiliés à donner des coups de pied dans la belle auto de Bruno, pendant que les autres leur bafouillent des excuses, presque incapables de retrouver leur sérieux. Même Jean-Pierre, la bedaine encore agitée de hoquets, vient faire amende honorable, cette histoire de se mettre nu, c'était pour rire, faut pas faire comme Falstaff qui croit aux promesses des commères.

Moi, j'en ai mal aux mâchoires, rien ne m'a jamais autant réjoui. Je me souviens de Bruno, à mon premier entraînement de rugby, j'avais dix ans, lui la vingtaine, un vieux. Tout fier, fils du plus gros grossiste en matériaux de construction de la région, intouchable, il a fait irruption dans le vestiaire des petits avec quelques acolytes et baissé le short de tous les nouveaux, histoire de vérifier s'ils en avaient. Avec moi, ils se sont régalés, j'ai crachoté, bredouillé, et pleuré à gros bouillons. Eux, ils ont joui de la situation, façon de parler. Je n'y suis jamais retourné. Mon père n'a pas compris. Aujourd'hui, juste retour des choses. Tant pis pour Serge l'instit, je n'ai aucun grief contre lui, sinon d'être assez falot et discipliné pour imiter Bruno, prêter allégeance au seigneur local qui a voulu saisir une occasion de faire valoir ses avantages devant les comédiennes. En même temps je me demande si je ne suis pas aussi idiot de me priver de nourriture pour mériter de jouer la comédie... Possible que j'aie tort de lui adresser un coucou ironique de loin : Bruno a la rancune tenace, tout le village le sait.

C'était la première fausse note dans une harmonie toute récente. Le travail du jour a souffert un peu des allures de dignité outragée des deux nudistes, après on a cru que c'était oublié... Les apparences sont demeurées sauves quelque temps.

Un des matins suivants, complètement affamé, je punaise le tableau de service sous la galerie et Antoine me passe dans le dos avec un courant d'air de soupirs exaspérés, entre dans le vestibule, puis dans la grande salle où Simone lit :

– Alors j'embouteille en flacons lisses... ?

Il a sa voix de tonnerre, celle pour être jaloux de madame Ford. Un pas de côté, je suis devant la fenêtre ouverte. Simone, dans le canapé, a juste levé les yeux de son livre, répond sur un ton de maîtresse d'école :

– Les palettes ont été perdues en gare de Brive, qu'est-ce que tu veux y faire ? Et on ne peut pas demander une fabrication spéciale de bouteilles avec millésime en relief dans la semaine... Si je ne m'abuse on n'a pas de délai plus large avant d'expédier la commande aux États-Unis ? Donc ils rece-vront le même vin dans un verre standard, voilà tout ! S'ils râlent on leur fait un petit rabais… David est sur place, appelle-le qu'il règle la question…

– L'image du vin va en souffrir… C'est jamais arrivé…

– Si, tu le sais.

– À l'époque on dépendait moins de l'export.

– Antoine…!

Elle a à peine haussé le ton. Il se dandine, caresse d'une main son crâne rasé, il la broie-rait Simone, entre le pouce et l'index de cette main :

– Bon, je peux encore attendre quelques jours, une douzaine… Pour l'instant je mets la chaîne en marche avec du Sablet. Ensuite, on sera quand même obligés d'embouteiller le Gigondas…

Et il traverse la cour, avec des pas possible et des m'en fous, grommelés. Simone m'a vu :

– Viens… Je termine un roman avec une idée de narration magnifique…

Le temps que j'enjambe l'appui de fenêtre, glisse dans la fraîcheur sombre jusqu'à son canapé, elle me montre :

– Un rescapé de la guerre de quatorze,

rendu complètement autiste par les horreurs du front, est pris en charge par une jeune novice... Pour le ramener au monde elle le masse, et son contact fait surgir dans l'esprit du soldat des pans de mémoire liés aux souffrances de la partie du corps massée, pendant les combats. Magnifique, non ?

— Tu dis ça pour moi ? T'as envie de me masser partout partout pour que je ne bégaie plus jamais ?

Elle me fout un revers de bouquin sur l'épaule. Elle rougirait un peu je ne serais pas surpris :

— Imbécile ! Tu me crois jalouse de ta starlette ? Ah çà, la belle Emma, elle te pelote, tellement que tu finiras par parler en dormant ! Comme si je ne savais pas que tu voles du vin dans les barriques histoire de te libérer la langue et de pouvoir conter fleurette ? Antoine t'a surpris !

— Tu vois, moi j'ai pas besoin de jolies bouteilles, qu'importe le flacon... Quand est-ce que vous n'avez pas eu celles au millésime gravé ?

Elle est déjà debout, on oublie la récrimine :

— Maman ne t'a jamais montré ? Suismoi...

Non je n'étais jamais descendu à la cave sous le caveau de dégustation. Ici le chaud du dehors ne parvient pas, ni le jour. Simone allume et la lumière faible ricoche sur des milliers de bouteilles couchées dans des casiers.

– Nos vins de garde... Et quelques incunables liquides, pour le plaisir, la mémoire du domaine... Viens par ici...

Et elle me mène à un présentoir à part, tire précautionneusement une bouteille :

– 62. Notre premier Gigondas... Devenu un cru en 70... Deux ans avant la mort de mon grand-père... On a gardé deux cents bouteilles de chaque année, bouchon changé tous les vingt ans... Toutes avec l'écusson et le millésime en relief...

– Sauf...?

– 68... On a embouteillé en verre lisse, je ne sais pas pourquoi : je suis née en 69...

– 68. L'année où mon père et Bernier étaient vendangeurs sur le domaine...

– La grande époque, d'après maman ! Papy, j'étais trop petite pour qu'il me raconte, il est mort en 72 et mamie est partie d'un cancer bien avant ma naissance. Donc maman est la seule source... Il faut en prendre et en laisser dans ses nostalgies...

Tu ne l'as jamais entendue évoquer avec ton père...? Toute la vendange à la main, pour ne rien perdre... Il en fallait des bras... Beaucoup prenaient des étudiants. Pas nous. Trop cher! Et papy avait gardé ses méthodes d'Algérie, sa mentalité quand même bien coloniale... Donc d'habitude, les vendangeurs étaient recrutés chez les immigrés, surtout les harkis parce qu'ils étaient à l'écart de tout travail, haïs de la communauté algérienne, capables de tout encaisser pour une poignée de francs... On rassemblait cette main-d'œuvre en Avignon, et ensuite transfert ici en camion... Mon grand-père faisait même des charters depuis l'Espagne par rotation d'hélicos! Ils atterrissaient au milieu de la cour, là où vous jouez... Pas joli-joli, mais rentable! Papy adorait Antoine, mal remis de sa guerre d'Algérie, qui menait tout ce petit monde à la baguette... Bernier et ton père c'étaient des exceptions, copains de maman au lycée, je crois... Dans l'esprit de mai, ils ont tenu à être logés avec les autres, étudiants, travailleurs, même combat! Mais je crains qu'ils n'aient pas beaucoup vendangé... J'ai vu des photos de maman avec eux, dans le style Woodstock tu vois, jouir sans entraves... Elle parle de récitals de poésie, de happenings... Papy grimpait aux rideaux! La petite-bourgeoise protestait contre sa classe sociale... J'ai l'impression que ça a été du propre. Après, elle a bien changé maman, sûrement la faute à mon père qui l'a abandonnée, ou bien à cause de la mort de papy... En tout cas la révolution sexuelle, le fameux trio David, Edwige, Jean-Pierre, ils n'en ont pas donné leur part au chat! La maison des vendangeurs, j'en ai entendu parler dans tout Sablet!

— Pourquoi tu ne viens jamais, après les répés, y faire un peu la fête avec nous? C'est plus 68...

— Je ne veux pas voir maman se réveiller le sentiment, me chercher un père de raccroc... Pourquoi elle ne m'a jamais dit avant, tu es la fille de Jean-Pierre ou de David? Parce qu'il y en avait encore d'autres? Alors maintenant, me faire le coup du père prodigue, merci bien... En plus, les vendangeurs je n'y vais pas parce que oui, oui je suis jalouse d'Emma, merde, tu m'as regardée? J'ai quarante ans et même sans la différence d'âge, je suis une figue oubliée au soleil! Racornie! Tu vois, si j'essayais de te séduire, si je te disais tout le bonheur que j'ai à partager mes lectures avec toi, que tu es la part claire

78

de ma vie en dehors du travail au domaine dont je me moque sauf à en vivre bien, si je te disais que je guette ton pas dans la cour, que je questionne ton père sur toi quand il vient faire le beau auprès de maman ou travailler avec moi, que j'essaie de retrouver ton odeur dans les pages de nos livres, que j'ai peur de ton départ loin, que j'espère que tu deviendras écrivain ici pour continuer à te voir, j'aurais honte.

Elle est devant moi, toute grave sous son brouillamini de cheveux noirs, elle attend, les yeux déjà aux larmes dans son petit visage brun, sec à l'os, et je ne peux pas la prendre dans les bras, pas envie de baiser ces lèvres, pardon Simone :

— Tu vas me croire cynique... Je t'aime Simone, pas comme une maîtresse, ni comme une sœur. Juste d'être là et de m'avoir ouvert le pays des livres, de me tolérer pas très sociable et muet la plupart du temps... Mais je viens de découvrir les femmes, que je peux les attirer si je ne bégaie pas, si je bois, et je ne sais même pas ce que j'éprouve pour Emma... Et puis Béatrice me bouleverse... Est-ce que je ferai l'amour avec l'une ou l'autre, pour ma première fois ?

– Moi je ne ferai jamais l'amour. Puisque ce ne sera jamais avec toi.

Et elle n'est plus là. Le temps que je trouve l'interrupteur pour éteindre, que je remonte, elle n'est même pas retournée dans la grande salle de la bastide. Et j'ai faim, mais faim !

Deux, trois jours après, sur les treize heures, on explorait mollement des scènes de l'acte trois, Nicolas et François sont arrivés dans un camion de location qui soulevait une poussière ! Des types pareils, un roux tout ras, un rasé comme Antoine, muscles affûtés, jean hors d'âge, T-shirt à la trame. Une accolade rapide à Bernier qui montre du doigt, arpente la cour, indique des emplacements, et se plante, les pouces dans ses bretelles rouges, à vous messieurs... Nous, répétition interrompue, à l'ombre de la galerie, on les a regardés considérer le lieu, prendre du recul, et l'alimentation électrique, on se branche où, allumer une cigarette, entrer en conciliabule rapproché, ils ont demandé à Bernier s'il se servait du platane. Oui, pour le cinq... Et puis ils ont écrasé leurs mégots sur les dalles de la cour et ouvert les portes du camion. Personne n'est allé les aider, ils ont sorti et aligné contre le chai des projecteurs, des éléments de portiques triangulés, des câbles, des praticables à hauteur variable et trois ordinateurs qu'ils ont entreposés dans le vestibule, si Edwige permettait. Après seulement, ils ont accepté un coup de rouge, du pâté de sanglier tartiné généreux, et Bernier a fait les présentations. Quelques souvenirs de théâtres parisiens échangés avec Hortense, Raymond, Mélanie et ils ont renfilé leurs gants de cuir.

Comme ça, ces trois-là se sont retrouvés en suspens, assis dans les transats à l'ombre du platane, à tuer leur mémoire au rosé, je me suis installé avec eux. Tranquillement ils se sont décorsetés, comme si la chaleur était telle qu'ils se déshabillaient jusqu'à la mémoire, sans retenue : devant un muet on peut déballer, aucun risque qu'il aille cancaner ensuite.

– Jean-Pierre file un mauvais coton…

Raymond, son allure de poète maudit, visage impavide, la mèche blonde plaquée de sueur, avait tiré sur le premier fil, les commères n'avaient plus qu'à dévider toute la pelote. Hortense s'est épongée entre les seins, pas bégueule, la voix grave, distraite :

– Tu parles de son état général ? C'est pas d'aujourd'hui ! Bâfrer, picoler, il y a passé plus de temps qu'à apprendre ses textes ! En revanche, côté finances il s'est trouvé un joli plan de retraite ! Le coton je ne sais pas, mais maintenant il va péter dans la soie !

Paupières baissées, Mélanie s'évente avec sa brochure :

– Qu'il fasse une sortie en beauté, passe encore ! Mais nous inviter à tenir la chandelle, c'est d'une cruauté, d'un cynisme ! Merde, je l'ai aimé comme personne, j'ai refusé des tournées parce qu'il pleurait de se retrouver seul un mois, deux mois... Et il me plaque pour Emma, une jeunesse ! Bien fait qu'il finisse avec une vioque, je suis vengée ! Ceci dit, sa dernière mise en scène je ne l'aurais ratée pour rien au monde... Qu'est-ce qu'il lui trouve à son ancien amour ? Nous aussi on fait partie du club des ex...

– Sauf que produire les *Commères* c'est au-dessus de nos moyens... Moi il m'a quittée parce que je refusais un enfant de lui. Avec Simone, il s'est trouvé une fille toute faite, tant mieux ! N'écoute pas Rico, on radote nos belles années, mais sans rancœur ni jalousie...

83

Après tout Jean-Pierre nous a aimées... Et vivre avec lui, c'est vivre double, dormir peu, boire trop, aucune femme ne peut tenir le rythme... J'ai failli y laisser ma santé. Mais je ne regrette rien.

– Tu as raison. Je ne peux même pas en vouloir à Emma... Elle m'a rendu service en me faisant cocue ! Et elle aussi, un jour ou l'autre elle l'aurait quitté... À son âge elle peut encore bâtir une belle carrière sans entretenir un fou furieux que personne n'engage plus... Je ne comprends même pas qu'Edwige l'ait attendu et veuille partager la vie de ce monstre. Enfin, au moins avec elle il ne manquera pas d'argent de poche.

Raymond, vanné de chaleur, dégrafe plus bas sa chemise ouverte sur son torse étroit :

– L'argent, Jean-Pierre s'en fout... Je lui ai dû des fortunes, avec promesse de remboursement, je reperdais tout sur une paire de valets, je demandais des délais, il me tapait sur l'épaule en souriant et ne réclamait jamais ! Même quand je me dépêchais de lui glisser une liasse de billets avant de la cramer sur un tapis, il refusait, il en avait pas besoin... Et moi je flambais la liasse, plus, d'avance, le montant de mes cachets hypothétiques sur des pièces pas encore répétées, des téléfilms à venir... De temps en temps je me refaisais, je remettais le compteur à zéro... Sauf qu'un jour j'ai perdu gros. Il est allé trouver mon créancier avec une pétoire, négocier un plan de remboursement. Vous savez ce que c'était, le plan ? Quitte ou double à la roulette russe ! L'autre a accepté et hop là ma dette était remboursée. Ce type a des couilles...

Toutes les deux ont leur rire de soubrette, coquin, un rire qui attend une suite leste. Hortense a pris Mélanie dans ses bras, la câline avec des soupirs de théâtre :

— On est bien placées pour le savoir ! Et on l'aime autant que toi. Si seulement il acceptait de se soigner...

Enfin, nous y voilà ! Ils l'aiment ! Le reste était de la conversation d'ameublement, pour conjurer l'angoisse, par peur qu'il soit au bord du pire. Si nécessaire, ils iraient chercher Bernier aux enfers.

Hortense vide son verre :

— Rico, une autre bouteille de rosé, ce serait un luxe tu crois ?

Sur le soir, on disposait d'une estrade basse adossée à la galerie, avec trois marches dans l'axe de la porte et nos deux régisseurs haubanaient les ponts triangulés. On a répété dans les coups de marteau et le tintement des clés plates fixant les colliers pour les projecteurs. Pour moi, Nicolas et François finissaient de bâtir l'univers, c'étaient des dieux porteurs de lumière, ils installaient l'espace du verbe, ils ouvraient le champ à ma voix. J'étais le premier homme, au commencement de tout.

Bien sûr, une fois la répé terminée cahin-caha, ils ne sont pas venus aux vendangeurs. Quand on est rentrés aux petites heures ils finissaient de câbler, noirs de fatigue.

Et le lendemain, toute technique fin prête, quand on a vraiment mis en place le trois, Bernier a commencé par ma scène, celle où Ford, jaloux, est sûr de surprendre sa femme en flagrant délit d'adultère avec Falstaff. Or madame Ford a tendu un piège à Falstaff, en même temps qu'elle nargue Ford, et le fait évader au nez de son mari au fond d'un panier de linge sale qui sera jeté dans une mare boueuse. François doit m'aider à porter ce panier. Et j'ai une réplique, une seule... L'instit Serge, Bruno l'adjoint avaient déblatéré et personne n'ignorait plus mon bégaiement insurmontable, sauf à être pompette. On me guettait en se poussant du coude, braves camarades... Sauf Emma, certaine que j'étais le nouveau James Dean, elle me l'avait chuchoté, et merde, dans un bisou.

Moi je suis au bord du malaise, même plus faim...

– Alors, t'es prêt, petit Peres ? Tu sais ton texte ?

Il se paie ma fiole, réclame le silence, une scène si pathétique demande le respect total du travail des comédiens. Notre Rico va faire un sort à SA réplique, « Au lavoir, pardi ! » Ma réponse sonne clair, forte d'un pichet de Sablet tiré au tonneau :

– Je suis prêt, à part le vin, je n'ai rien avalé depuis une semaine, comme vous me l'aviez indiqué. Donc je suis comédien...

Un instant il reste figé, la tête inclinée, avec des yeux d'assassin, et puis sa paupière s'alourdit de roublardise, son rire se lève, roule aux murs de la cour, gravit la colline derrière, il frappe dans ses mains, lentement et puis accélère l'applaudissement, en se tournant, que les autres l'imitent. Ainsi ils me font, d'avance, une ovation, assez ahuris, sans comprendre ce qui s'est joué de défi entre Bernier et moi.

– Bravo, tu as passé l'épreuve ! Je n'en attendais pas moins du fils de David... Ton père sera fier de toi. Et ton accessoire, un bon comédien prend soin de son accessoire, le panier à linge, tu l'as prévu ?

– Bien sûr, il est là.

J'ai préparé au bord du vestibule un vaste truc d'osier, dépoussiéré à grande eau, consolidé à l'intérieur avec des planches et recouvert d'un bout de drap.

– Parfait, pose-le à jardin, au fond, on prend scène trois, je sors de sous la galerie, je me précipite, je me mets dedans... Là, très bien... Sois tranquille, en répé je ne vais pas vous obliger à me porter. On est en place ? Mélanie, Hortense, Raymond ?

Et ça démarre. Dans le tintamarre des cigales, soleil au plus haut, Bernier monte en scène par le petit escalier, court au jardin, le ventre en tumulte, mort de trouille :

– « Laissez-moi voir... Laissez-moi voir...! Bien sûr que j'y entre ! Oh oui j'y entre...! »

Il fait mine de se cacher dans le panier sans même soulever le drap, rejoint vite le bord du plateau diriger la suite. Nous on continue, j'arrive avec François enlever ce panier, on marche vers la cour... Entrent Raymond et Antoine qui m'arrête, redoutable avec sa gueule brûlée de vétéran des vignes :

– « Qu'est-ce que c'est...? Vous allez où comme ça...? »

Il saisit un coin du drap, le relève un peu,

s'arrête net pendant ma glorieuse réplique, donnée avec un total dédain à ce bourgeois puant de Windsor :

– « Au lavoir, pardi ! »

Ça siffle, ça applaudit à nouveau, ça rigole. Et puis on se calme, Bernier lève les mains, qu'on poursuive, Hortense rabat le coin de drap :

– « Vous n'avez pas mieux à faire, mon mari ? Occupez-vous de laver votre linge sale...! »

Mais Antoine ne lui répond pas vertement, comme écrit, il est en arrêt, un chien qui a flairé le gibier, me murmure en aparté :

– D'où tu la sors cette panière ?

– Du grenier.

– Edwige le sait ?

– Simone me l'a donnée... Après on la jette... La toile est toute tachée de vin, une des anses est cassée mais j'ai renforcé le fond, bricolé deux brancards, ça tiendra...

Il reste d'une immobilité violente à me terrifier en même temps qu'il se fait un silence, que Bernier interpelle :

– Eh ben les enfants, on vous gêne peut-être ?

Hortense souffle déjà la réplique suivante et Antoine reprend, boule son texte, complètement hors du personnage, jaloux, ma parole, pour de vrai :

– « Laver…? Oh oui laver…! Un mari doit toujours faire la lessive lui-même…! »

Et nous on sort par l'avant-scène, porter le panier derrière le platane. François se remet à la table, continuer ma poursuite de mise en scène. Moi, je n'ai pas assez de poumons pour avaler tout l'air dont j'ai besoin, je cherche les compliments du regard. Sauf qu'on m'a oublié, qu'Antoine est ailleurs, sort par le fond en somnambule, que Bernier laisse Hortense et Mélanie se débrouiller du passage suivant, sans même les encourager à comploter serré, sensuel, à la limite de l'orgasme comme il l'a indiqué, qu'il attend le retour d'Antoine et Raymond. Deux répliques et interrompt tout :

– Quand vous en aurez assez de jouer patronage, vous me préviendrez ?

Il s'est retourné, et vocifère dos au plateau, veux plus les voir ces ringards, Antoine, tu bandes de jalousie ! Bander, tu sais ce que c'est ?

Et il me voit, le bras à la taille d'Emma, et elle qui me ravage le cou de baisers !

– Eh, petit Peres, c'est pas à toi que je

parle, et puis reste modeste, t'es pas encore pensionnaire du Français !

– Il faudrait que je boive beaucoup plus, n'est-ce pas ? Vous me donnerez des leçons ?

Il sourit sans répondre et c'est pire comme baffe. Petit coq. Il le pense, il a raison.

Dans ce long mois de mes éveils, je me rends compte que l'essentiel s'est noué et dénoué au fil des nuits à la maison des vendangeurs. Le plein jour, la vie à la Tuilerie, le train des répétitions n'en étaient que l'écho du désordre.

Et nuit après nuit j'ai vu Béatrice s'humilier à loisir pour offenser le fantôme de Bertrand. Provocante et volage, inconstante, une libertine en sa meilleure saison. N'importe qui pouvait la lutiner, la traiter en moins-que-rien, elle en redemandait et puis, d'instinct, repoussait très vite, s'indignait d'une privauté, et presque se troussait illico pour un autre, impudique, sollicitait avec des airs de fiancée vendue au point que les hommes de la bande finissaient par décliner l'offre, se trouver moches de profiter d'une veuve désespérée

d'adultère. Sauf Bruno qui me voyait malheu-
reux de Béatrice fille facile et prenait exprès
avec elle des libertés de propriétaire. Edwige
en concevait des douleurs à se pendre. Et
s'appliquait à imiter pourtant Béatrice, pour
la légitimer, se montrait de plus en plus
coquette et possessive avec Bernier dont tout
le monde avait oublié le premier malaise, le
servait comme une matrone antique avant de
le délaisser et de mignarder le vieux Dufour
comme par caprice. Moi, désarçonné de
ces marivaudages formels, je me perdais en
fausses liaisons dangereuses avec Emma, et je
rêvais de Béatrice.

Parce que, faut dire, désormais Edwige
venait aussi régulièrement aux vendangeurs,
d'abord du bout des lèvres, comme à une
dégustation où on recrache le vin après
l'avoir testé. Elle promenait ses élégances
désabusées, sa voix d'or blanc, sur nos
débordements. Et puis elle s'est délurée, elle
a ôté ses escarpins et dansé des rocks pieds
nus, et a aguiché, joué le jeu des flirts avec
Nicolas ou François, jamais ceux du village,
s'abandonner à une épaule, tolérer ses lèvres
effleurées, on ne lui donnait pas sa soixantaine ! Toujours elle finissait en conciliabule
avec Bernier, le laissait lui parler à l'oreille

sur un slow hésitant, « *Strangers in the night...* », la soulever de terre, ma Quickly, ma belle maquerelle, faut pas oublier son métier d'amour si on veut donner des leçons à la petite Page ! Allez embrasse-moi fougueux et on se baigne nus, tous les deux...! Son rire faisait frissonner l'eau du bassin et Edwige lui resservait à boire, lui essuyait la sueur du vin... Jamais, comme elle l'avait juré, Simone ne l'a accompagnée. Comme elle refusait d'assister aux répétitions où Edwige n'hésitait plus guère au contact dionysiaque !

Ces dérisoires bacchanales ordinaires m'ont agacé les dents comme des raisins verts, et un peu de leur jus âpre me coulera toujours dans les veines. Toutes, mais une surtout. Je ne sais pas qui a eu l'idée. Béatrice, Mélanie, Hortense ? Même Edwige était du complot cinglé, en robe de lin canari, énervée et caquetante à avoir honte si elle s'était vue.

Un soir, aux petites heures, elles ont coupé le sifflet à Billie Holiday, *some day he'll come along, the man I love*, silence, silence, l'adjoint Bruno a mis deux doigts dans sa bouche pour siffler qu'on se taise, et elles ont annoncé le concours de Falstaff ! Elles ont ouvert la porte aux folies d'après boire. Les danses, les conversations, même le glouglou des verres ont cessé, Emma a énoncé les règles : les concurrents, des messieurs valides et virils, subiraient une série d'épreuves chronomé-trées, affectées de coefficients, et au terme de la compétition, le vainqueur aurait droit à une nuit d'amour avec une des commères, au sens large ! Eh oui, Edwige, Emma, Béatrice sont de la partie ! En pratique, au jour dit, l'heu-reux lauréat, le Falstaff d'honneur, frapperait à la porte de la chambre là-haut où l'atten-drait, dans l'obscurité, une de ces dames. Béatrice préparera une corbeille pleine de papiers pliés, un seul sera marqué d'un « F », chacune des volontaires en prendra un. Et elles le sont toutes ! Acclamations de ces mes-sieurs, y compris moi, pas mal parti. Bien entendu les autres dames seraient invisibles de toute cette future nuit, personne d'entre elles ne saurait qui a tiré le seul billet marqué, immédiatement détruit, que l'anonymat de la plus joyeuse des commères soit respecté ! Alors tout le monde s'inscrit n'est-ce pas ? Même Dufour et Raymond ! Et la maison a grondé de vivats, Bernier gueulant qu'il offrait une autre nuit à la femme victorieuse des mêmes épreuves…! Justement, bonne question, à quoi s'exposent les concurrents ? Escalade de la maison à mains nues par la gouttière de la façade, traversée du toit, descente côté jardin, une joyeuse à boire aussi vite que possible, deux longueurs de bassin aller-retour, en tenue de ville, et hisser de Falstaff-Bernier, désolé il est donc hors concours, grâce à une corde passée dans la poulie qui servait autrefois à monter des marchandises jusqu'au grenier, on mesure la hauteur du hisser et on ôte dix secondes par demi-mètre au temps du parcours... Et on fait les comptes !

Au degré de picole où on est, au vu de ces dames narquoises et vêtues léger, pour le défi qu'elles nous lancent on traverserait l'enfer. Et nous voilà, pendant qu'elles préparent les bouteilles sur la terrasse, à nous hurler dans les oreilles, moi pire que les autres, on dispute qui concourt en premier, par âge, non par ordre alphabétique...! Bernier, incapable d'imaginer son poids sur la gouttière ni les risques pour sa santé, commence par tempêter, pourquoi je ne participerais pas, et en vedette, d'abord, Bernier, B, E, et puis il convient, il est déjà Falstaff, il constitue l'épreuve ultime, il fait le faraud, toute façon moi je vais me consoler en assurant le chronométrage... Décision : l'instit Serge Bonnet en premier, l'adjoint Bruno Roque pour terminer.

Et on est au pied du mur, déjà un peu plus à l'étroit dans nos souliers, pas mal gênés de déglutir, ces dames en spectatrices hystériques, Falstaff, Falstaff...! Serge empoigne le tuyau de gouttière, petit blondinet nerveux, si ses élèves le voyaient, et top le chrono de Bernier, il grimpe, pas mal, les pieds arc-boutés au mur, allez Serge, allez, on l'encourage, il arrive au toit, bascule, on entend craquer les tuiles, vite on se bouscule voir la descente dans le jardin et son cul apparaît, il tâte de la godasse, cherche une prise, et se laisse glisser, à s'écorcher les paumes, Hortense lui tend une bouteille qu'il vide à demi au goulot, la moitié sur sa chemise, vingt secondes de pénalité sanctionne Bernier, un sprint et il plonge, se tape une brasse à son maxi, revient et là faut imaginer le spectacle de Falstaff-Bernier, chrono en main, assis sur une planche au bout d'une corde et reste à lever tout ça aussi haut que possible ! Le Serge s'échine, ahane, dérape, grimace, se cramoisit, et finit par tomber les bras en croix. Emma, magnanime arbitre des arbitres, lui accorde un mètre, vingt secondes de boni… Total huit minutes trente-deux! Suivant!

Et ils y vont, Raymond Crémieux, pas ridicule pour son âge, ni Dufour, un vrai chat qui cale à manquer se noyer dans le bassin, Antoine, le meilleur temps très peu sous les deux flandrins du village, des braves du même club de théâtre amateur que Serge, qui jouent Caïus et Evans, et les régisseurs Nicolas et François dans un mouchoir. Et c'est mon tour, total survolté… Au top de départ, je sens bien que le tuyau de gouttière commence à flancher, je me fais souple, déporte mon poids aux appuis de mes pieds sur les picrres de façade, le toit, gravi à quatre pattes, le versant arrière sur le cul, rattrapage à la volée au tuyau de descente et saut à mi-chemin du sol, la bouteille tendue par Hortense, formalité, trois gorgées, bassin avalé en crawl olympique et enfin Bernier assis sur sa planche, chrono en pogne, qui me rigole au nez, est-ce que tu vas faire le poids, petit Peres, alors que j'attrape la corde pour le hisser… Et là, qu'est-ce qui me prend, je rentre avec la corde dans la salle, je me cale, jambes contre le mur de la maison, et je me sers de mes cuisses autant que de mes bras qui cramponnent la corde, la halent, une main après l'autre, je donne tout ce que j'ai, en apnée, à me péter les muscles, m'éclater les veines! Et je bascule sur le canapé, intégral trempé de mes longueurs de bassin, ahah-ahah, je vais crever, je vais crever... Emma est déjà sur moi, à me manger le cou, sept vingt-cinq, huit secondes devant Antoine... M'en fous, m'en fous, respirer, respirer...! On me relève, on me tape dans le dos... L'adjoint Bruno nous rappelle au protocole: il demeure comme ultime concurrent, et comme il est aussi con que ses biscoteaux et sa fortune, qu'il lève de la fonte, joue au rugby et nage au cercle des nageurs de Vaison, il n'envisage pas d'être battu. Surtout pas par moi. Il me souffle au passage sa sentence définitive, aucune femme ne mérite un bègue dans son lit, et il se plante au bas de la gouttière, on dirait un haltérophile qui va soulever la maison, top, c'est parti, il pousse des râles en s'élevant, vite, dans une houle d'épaules musculeuses, et d'un coup, presque il touche les premières tuiles du toit, tout le zinc se décroche et il part en arrière, une chute de plus de cinq mètres!

Une femme, Edwige peut-être, a poussé un long cri, ces cris de granit gris à l'annonce d'un enfant mort, d'un proche brutalement disparu. Un bref silence, et tous on se précipite d'abord en bousculade, avant d'entendre Béatrice réclamer qu'on s'écarte, et lui laisser la place, la regarder, là, penchés et ahuris, prodiguer les premiers soins. Le Bruno est bien amoché. Mais conscient. Il gémit, les yeux en panique, essaie de se relever, encore anesthésié du choc. Une longue balafre à son front saigne déjà d'abondance, et il n'arrive pas à se remettre debout, on voit son pantalon blanc se teinter de rouge sous le genou gauche et l'os qui fait rebiquer l'étoffe. Béatrice le saisit immédiatement aux épaules, ferme, lui parle doux à l'oreille, le recouche, Rico, la mallette dans ma voiture, j'y cours, je reviens, je lui tends sa trousse ouverte et je reste à genoux à côté, déjà elle lui palpe le crâne, lui braque une lampe crayon sur les pupilles, vérifie la souplesse cervicale, bien, apparemment pas de fracture de la colonne vertébrale ni de traumatisme crânien, mets-lui une compresse sur le front, Rico, et appuie fort, ciseaux, j'obéis, il commence à ressentir la douleur, geint doucement pendant que Béatrice lui découpe le pantalon, qu'on lui démonte une caisse de vin, elle a besoin de planchettes de bois, et du scotch, tiroir de la cuisine, déjà elle a rempli une

seringue, pique dans la cuisse, remet le tibia
brisé à peu près en place, bande sommaire-
ment la plaie ouverte, pose tout ce qu'elle a
de pansement hémostatique et immobilise le
tout avec les attelles improvisées marquées
Sablet, AOC rouge, c'est provisoire, va falloir opérer, et puis elle écarte ma main avec
la compresse ensanglantée, ça ne veut pas
s'arrêter, elle enfile une aiguille courbe, se
met à suturer le front de Bruno avec le calme
d'une couturière à réparer un accroc, noue
serré, coupe le fil, rassemble bien bord à
bord, et vite, les lèvres de la balafre. Et le
spectacle est étrange, je ne peux pas m'empêcher de voir, cette femme offerte, suant tout
le rosé qu'elle a bu, et oublieuse d'elle-même,
sa minirobe de lamé remontée haut sur les
cuisses, le fantôme de Bertrand doit serrer
les poings, le décolleté à tous les vents, elle
chuchote des tendresses, encourage, plaisante même, ça va, ça va, tiens bon, t'es pas
défiguré, tu plairas toujours, t'es un homme,
merde, serre les dents, et répare si efficace-
ment les conneries du hasard et les nôtres.

— Bon, les hommes, vous allez le trans-
porter à l'arrière de ma voiture, je l'emmène
aux urgences de Carpentras... Qui vient
avec moi ?

Edwige a déjà trouvé un vieux plaid dans la maison et, sitôt qu'Antoine et Nicolas ont installé Bruno, elle le couvre et se glisse dans son dos sur la banquette arrière, le cale, maintient une compresse à son front qui saigne un peu, que sa robe de lin canari en est gâtée, et les portières claquent, Béatrice démarre et on entend longtemps l'écho de son moteur dans la ligne droite qui mène à Vacqueyras.

Tous, dégrisés à cœur, moi encore à genoux dans l'aube qui blanchit les dentelles de Montmirail, ma charpie ensanglantée dans les mains, on se sent cons, à se foutre des baffes, à briser les bouteilles pleines contre les murs, des joyeuses, je t'en foutrais, des maléfiques, oui, plus jamais boire une goutte.

Tout ce temps, Bernier est resté en arrière, pétrifié, chrono au poing. Il est aussi pâle que sa chemise et j'ai peur d'un nouveau malaise. J'entends, je crois, qu'il se murmure, c'est la maison de la mort ici, tout bancal sur ses espadrilles. Mais non, il rentre se verser une large rasade, se coince les fesses à la table, à se tacher le froc aux reliefs de nos agapes et soupire de la bedaine, attend qu'on fasse cercle, les dames aux cent coups, Mélanie ravagée de larmes, Emma frissonnante dans la lumière qui rosit, et nous les prétendants au trône de Falstaff Ier glacés dans nos fringues trempées, il va parler *urbi et orbi*, on commence à le connaître. Ça ne rate pas, de sa voix velours, bien profonde, de Don Juan blanchi sous l'amour des belles :

– Les enfants, le destin est une vaste plaisanterie, une histoire pleine de bruit et de fureur racontée par un idiot... Ce soir, ce matin plutôt, nous avons la réponse à la vieille question, *to be or not to be* : nous sommes, nous vivons, nom de Zeus ! Nous venons de perdre Fenton, un gentleman si cette terre en porte, et nos commères de Windsor sont orphelines du jeune premier, Anne Page est veuve avant d'avoir épousé son promis ! En gros je suis dans la merde pour mes représentations ! Alors que notre concours du meilleur Falstaff serve au moins à désigner le successeur de Bruno au bras d'Emma, de Fenton dans le lit d'Anne Page ! Je déclare solennellement Rico vainqueur avec un score de je sais plus combien, gagnant d'une nuit d'amour n'oublions pas, et désormais titulaire du rôle de Fenton ! Apprends le texte dès aujourd'hui, petit Peres et viens dans mes bras !

Il les ouvre ses bras, large, tous mes lascars ont oublié le sang dehors qui sèche aux herbes hautes, qu'on est passés à deux doigts d'une vraie mort, et on me pousse sur son poitrail recevoir ses baisers…! Moi le vin m'est passé, je ne peux plus articuler une phrase, même pas non, j'arriverai pas à reprendre le rôle, faudrait que je repicole mais ça vaut plus la chandelle à cette heure, je claque des dents et tant mieux parce qu'Emma est contre mon oreille, y met sa langue, elle pue le vin, les mains déjà sous ma chemise mouillée, et la voix basse, brûlante :

– Tu sais où est ma chambre… T'as droit à une répétition générale de nos fiançailles tout de suite, je t'attends…

Je peux pas répondre, que retrousser les lèvres et essayer de calmer mes mâchoires. Qu'est-ce qu'elle veut dire, elle est le trophée du concours ou elle déborde juste son rôle d'ingénue ? Et elle file avec Hortense, Mélanie, dans la même auto, et les autres se débandent pareil, s'entassent dans les bagnoles, une tape de Bernier, petit Peres ton père tient un digne héritier, et je suis seul, je ferme tout, j'éteins les lampes dans le jour qui point, je rebouche sans joie les joyeuses entamées, ce qui est encore bon de victuailles au frigo, et je monte, pour la première fois, à la chambre du haut.

On en a chaulé les murs, un vaste futon sans couvertures, juste un drap, une photo encadrée au-dessus, le Bertrand de Béatrice, je le reconnais, joue contre celle d'une ragazza pleine de promesses, occupe le gros de l'espace, un placard maçonné à portes anciennes, une piaule d'amour, peut-être c'est ici que Bernier a conçu Simone, et si c'était papa, le père de Simone, et puis je perds le fil, ça clignote derrière mes yeux, je me bafouille que merde au théâtre, merde aux jolies femmes, et je tombe raide en travers du lit.

L'heure je ne sais pas, il y a des mains à mes reins et des lèvres dans mon cou, Rico, Rico, réveille-toi! Je bascule sur le dos, le temps d'accommoder ma vision floue et le visage de Béatrice, son semis de taches rousses, est à portée de baiser.

– Bruno est hors d'affaire! À part quelques bleus, sa coupure au front, et sa fracture ouverte, il n'a aucune lésion interne, même pas de traumatisme crânien...

– Mmm...

À jeun, je ne peux pas dire plus.

– Prends une douche rapide. Il est onze heures, tu vas être en retard... Je le suis aussi pour mes visites... Tu connais la salle de bains?

Elle s'est levée, je la vois tout entière dans une robe trapèze vintage, sage, elle traverse le palier, pousse une porte et moi je la suis, obéissant, pas bien vaillant du mollet ni du cerveau, j'entre dans la douche à l'italienne, carrelée de terre cuite rouge je crois, j'actionne le mitigeur et j'entends un cri en même temps que l'eau me cingle :

– T'es fou ! Tes habits… ?

Ah oui, l'habitude de mes ablutions en plein air… J'ôte tout à la volée, me retourne pour mettre au moins mon froc au sec et Béatrice est encore là, qui me prend mes vêtements, me considère un instant nu, tend la main et me touche à peine la joue, avec un regard de contrition, et puis ses talons sonnent dans l'escalier.

À onze heures vingt je déboule dans la chambre de Bernier récupérer le service du jour. Il fait passer ses médicaments avec un rosé frais pendant qu'il demande des nouvelles de Bruno. Son rosé j'en profite, un petit fond, mais il ne peut pas agir sur l'instant, alors je fais couci-couça de la main. Et je file, j'ai mon contingent de bouteilles à trouver, le spectacle continue…

Il a continué ainsi, sur des jours que je ne comptais plus, où je marchais entre les vignes à mémoriser le texte de Fenton, le beugler, une bouteille de rouge au poing pour m'assouplir la glotte. Des jours avec une Emma qui me battait froid, m'avait attendu toute une nuit, pas l'habitude qu'on lui fasse faux bond quand elle accorde ses faveurs, une Béatrice occupée de ses malades le jour et brûlant ses nuits aux vendangeurs, Serge l'instit qui pinaillait aux commères le discours métaphorique sur le vin quand elles lui demandaient, verre en main, cruelles et égrillardes, si le Sablet était long en bouche, charpenté... membré, voilà le mot... si on n'y sentait pas un petit goût de semence... Peut-être, mais quelle semence, du tourne-sol, de l'aubergine, répondait l'animal avant de comprendre à l'éclat de leurs dents qu'elles le charriaient et de cramoisir. Du temps de mon silence, je détestais mon père de servir pour son commerce ces mêmes mots subvertis à des gogos et des dames émoustillées, je t'en foutrais de la bouche ronde, charnue, de la saveur d'un bâton de réglisse sucé... Grâce à lui, ils goûtaient du désir d'origine contrôlée... Il créait le vin autant qu'Antoine et j'en devinais la puissance créatrice du verbe qui m'était interdit. Serge balbutiait sa magie verbale, s'arrêtait aux mots, comme s'ils étaient d'immanquables formules de plaisir, immuables, sans équivoque. Oui, ces jours, la troupe s'est desserré la ceinture, a baguenaudé, mais, cahin-caha, le spectacle s'est structuré, a pris de la matière et de l'équilibre, et des arômes sauvages... Sauf accident, un grand millésime à venir.

Tout a vraiment commencé de se gâter un soir de fête ordinaire. Celui où Bernier a failli mourir de célébrer son anniversaire. C'était un dimanche.

Au matin, Edwige consulte le tableau de service pendant que je l'affiche :

– Rico, rajoute « Zéro heure. Vendangeurs. Surprise. Présence indispensable de tout le monde. Tenue de gala souhaitée. »

Elle a de l'impatience dans les mains, claque des lèvres que mon stylo s'enraie à écrire verticalement. Diable, tenue de gala, est-ce bien de saison, je n'ai pas encore assez bu pour la presser de questions :

– Sssurppprise ?

– Chut ! L'anniversaire de Jean-Pierre. Je compte lui offrir un cadeau personnel mais si tu pouvais te charger de l'organisation, préparer un petit quelque chose qui lui fasse chaud au cœur... Le champagne est pour moi... Merci Rico.

Petit bisou, les bijoux de sa voix à peine sonores, elle me laisse comme le larbin chargé d'un menu service, gentiment traité. Edwige a cette faculté, elle vous demande la lune avec une telle candeur que vous vous trouvez bête d'avoir le bras trop court pour la décrocher séance tenante. Du coup, même pas persuadé que cet anniversaire soit bienvenu, Simone va m'en faire une de ces crises, je cours me fortifier le larynx à belles rasades de rosé léger, je me recueille sur mon lit, au frais, le temps que le charme opère, les pensées au galop, réclamer de l'argent à chacun et filer acheter les œuvres complètes de Shakespeare, non une robe de mariée XXL, un perroquet vert, merde un dimanche tous les magasins sont fermés, Béatrice aura sûrement une idée. D'abord vérification de mes capacités verbales avec une italienne partielle du rôle de Fenton, « De temps en temps je vous ai entretenu du tendre amour que j'éprouve pour la jolie Anne Page... », et ensuite appeler Béatrice, qui se limite à des houlàlà, je suis prise de court, quel âge, je sais pas, les cadeaux j'ai plus l'habitude... Je passerai à la répé tout à l'heure, on réfléchira ensemble… Fort bien, en attendant je vais solliciter les comédiens, réunir des fonds quoi que décide Béatrice…

Le tour de la compagnie et des chambres du domaine, toc toc, on m'ouvre encore endormi, on grogne, on savait pas, on fouille les poches d'une veste au dossier d'une chaise, on renverse un sac à main, il y a des odeurs aigres, des relents de rimmel, on est en slip, on s'est drapé vite fait dans une serviette qui glisse sur un sein mou, je visite ainsi les abandons du corps, la coulisse des paillettes, Hortense et Mélanie au naturel, les cheveux dans les dents, encore à la hauteur de leurs promesses ma foi, on me fourre un billet dans la main, une poignée de pièces, Raymond est le seul à refuser, il est un peu gêné, le prend flambeur désinvolte, un poker hier en Avignon, il a perdu sa chemise et même engagé son cachet des *Commères*, pas grave mais pour le cadeau de Jean-Pierre, désolé. Emma, je ne devais m'attendre à rien d'autre, entrebâille sa porte sur son nez retroussé, ah, c'est toi, tu te décides enfin, eh ben entre, je te préviens je suis pas vraiment d'humeur, je me glisse dans la pénombre de la chambre minuscule, une piaule de bonne, et elle est nue, déjà elle s'est recomposée brûlante de passion et se jette sur moi, me force les lèvres, s'attaque aux boutons de mon jean, j'en lâche ma monnaie, les pièces roulent. Emma bloque net :

– C'est quoi ça ? Non mais tu me prends pour quoi ? Une pute à cinquante la passe ?

Et elle me cogne, essaie de me griffer les joues, une sorte de furie comme aimerait Jean-Pierre, une ménade. À force, ça suffit, je lui prends un poignet, une torsion dans le dos et elle ne bouge plus, tu me fais mal, j'ai la bouche contre son oreille et le sang qui coule de ma pommette à son épaule :

– Je ne te prends pas du tout…! Je récolte des sous pour l'anniversaire de Jean-Pierre…

Elle s'amollit immédiatement, tourne la tête à me toucher la joue des lèvres, me lécher les balafres :

– Pourquoi tu ne l'as pas dit ? Ah mon Rico, je t'ai fait mal !

Un rictus, pas du tout, je ramasse ma cagnotte et je sors sans fermer la porte.

Mes trois sillons à la joue gauche, j'ai essayé de les cautériser au treize degrés cinq. Mais dès le début de la répé d'après-midi, la joue me cuisait, j'y posais sans arrêt la paume, essayer de calmer cette marque au fer rouge sous un soleil de métal en fusion. Au repas de midi, évidemment, on a jasé, comme aux pires heures de mes bégaiements. Jean-Pierre m'a félicité, même mon père n'avait pas les stigmates d'une nuit d'amour, voilà, Rico est dans le ton, il joue avec son sang, sa chair ! Et puis on est passés sur le plateau, Nicolas commençait de composer sur ordi sa poursuite d'éclairage, François relistait les accessoires, les autres se sont regroupés sous le platane. Moi j'ai une scène de valet avec mon panier au début, et ensuite je suis Fenton à la fin de l'acte, je change de chemise et j'ai un borsalino, une écharpe blanche nouée lâche, pour jouer l'amoureux d'Anne Page.

Béatrice arrive sur les quinze heures, fraîche, un souvenir de pique-nique tendre. Un corsaire, une liquette nouée au-dessus du nombril, ça vous fait une Bardot coiffée court, elle grimace déjà en s'approchant, touche mes balafres, mais qui t'a fait ça ?

– Une ronce.

– Avec des ongles de femme jalouse... Tu as désinfecté ?

– Oui. Alors, tu as trouvé, on lui offre quoi ?

Un instant elle flotte, s'assied à mes côtés. Elle ne sait pas, l'écho d'un baiser, une

115

chemise avec une trace de rouge à lèvres, une lettre d'adieu, la facture d'un hôtel borgne... Je la laisse divaguer pour rejoindre sur scène Antoine-Ford. Il gronde que sa jalousie est raisonnable, qu'Hortense, sa femme, a fait l'autre fois sortir Falstaff dans le panier pour qu'il ne soit point surpris en galant rendez-vous, et il ordonne de fouiller cette fois le linge sale. Il n'y va pas de main morte, ponctue ses répliques de claques aux fesses d'Hortense et Bernier jubile, oui, là on touche au grotesque, l'animal pointe le museau sous l'habit civilisé... Voilà, essayez tous de choisir un animal et de jouer comme lui, Dufour, joue-moi le juge Shallow comme un vieux bonobo, tu sais ces singes toujours prêts à baiser pour conjurer le danger... Hortense, t'es une femelle rusée, n'importe laquelle, trouve... Une renarde...

Alors moi, avec le fardeau que je traîne hors du plateau, je suis un bœuf venu ruminer aux pieds de Béatrice.

– J'ai une idée... Vous en avez besoin aujourd'hui ?

Elle montre ma panière enfouie sous le linge qu'Antoine vient de tourmenter.

– Oui. Dans cette scène. Après, c'est tout...

– Mets ça discrètement dans ma voiture, je vais lui faire un panier garni, à Bernier, avec feu d'artifice…

– Tu veux des sous ? J'ai tapé tout le monde. Edwige apporte le champagne…

– Pas d'argent, chacun offre ce qu'il a, laisse-moi faire.

La nuit est une vraie nuit de Nativité. Tellement étoilée que des Rois mages d'aujourd'hui y verraient jusqu'au fond de la Galilée, jusqu'aux camps de réfugiés palestiniens, aux patrouilles qui protègent Israël… Allez, Jean-Pierre, tu peux jouer à renaître, t'as le décor.

Je suis arrivé le premier, chemise bleue, ma meilleure, repassée par Simone, un jean blanc avec un pli. Béatrice m'attend dans la cuisine, postée derrière la panière toujours couverte de son drap. Je veux regarder, non touche pas, sinon où est la surprise, elle a scotché des fusées à mèche au bout des brancards. Elle est trop maquillée, énervée, le cheveu aplati de gomina avec des accroche-cœurs, les yeux presque transparents, en petite robe bustier de mousseline vert Nil, à recroire aux épiphanies, aux stars du muet descendues de l'écran pour regonfler le moral des troupes :

– Dès qu'il est là, tu donnes le signal…

Les autres commencent à chanter *happy birthday*, toi et François, vous venez prendre le panier à la cuisine, vous l'apportez sur la terrasse, attention c'est lourd, tu amènes Jean-Pierre, vous allumez les mèches, tiens des allumettes, et vous enlevez le drap…!

Jean-Pierre arrive le dernier avec Emma, trop contente que je pardonne la cruauté de ses ongles. Je la charge de retarder sournoisement le maître qui plastronne, les enfants, je crois que mes adieux vont faire date, parole, ces trois représentations deviendront mythiques, les témoignages des rares élus présents figureront aux anthologies, d'autant qu'elles ont provoqué le miracle de Rico, le muet a parlé, la chair s'est faite verbe, tout émoustillé de la trogne et du poil. Son rire dévaste la salle, bouscule les dentelles de ces dames, flatte les hommes sous la ceinture, et moi, attrapé, frotté sur sa bedaine, étrillé de ses grandes paluches, j'ai l'air d'un demeuré ramené de Lourdes. Et d'un coup, il s'arrête, s'aperçoit qu'on est sur notre trente et un, nippés clinquant :

— Vous allez à un enterrement mes camarades ? Quelqu'un est mort ? Moi ? Fallait m'avertir ! Ahahaha…!

Pas le temps de donner le top du *happy birthday*, de m'esquiver avec François en cuisine, Edwige, drapée dans une sorte de long péplum noir, une Phèdre des grands soirs, s'avance, et toute la joaillerie de la terre tinte dans ses mots :

— Joyeux anniversaire, Jean-Pierre... D'habitude, on offre un cadeau à celui qui tourne la page d'une année, mais cette fois j'ai pensé que ton cadeau serait de m'en faire un...

J'essaie bien de ranimer Dufour, de pincer Mélanie, on y va, on chante, rien à faire, chut Rico, écoute, ils attendent, hypnotisés...

— Est-ce que tu veux m'épouser ?

La question l'a ébranlé, fini le cabot à outrances, la bête de scène, il laisse sa superbe, l'épaule basse, met une main sur son cœur, et l'autre, il la tend vers Edwige et ses lèvres tremblent, il a le visage lavé d'un rescapé d'avalanche, il va pas pleurer quand même...! Alors j'entonne bravement, seul, *happy birthday to you, happy*, j'attrape François par le fond de culotte tandis que les autres reprennent en chœur, et on file à la cuisine, Béatrice n'y est plus, parfait elle chante avec les autres, on empoigne les brancards, ça pèse un âne mort, et on porte

119

notre colis à la terrasse, applaudis au passage dans les lambeaux du chant qui finit, *happy birthday* Jean-Pierre... Et on nous suit, on fait cercle, Jean-Pierre et Edwige, enlacés comme des minots amoureux au premier rang... Allumette craquée, les mèches grésillent, et le feu d'artifice pète, des rouges, des bleues, qui rajoutent des étoiles, je tire le drap comme convenu et nom de Dieu...! Béatrice a surgi du panier au milieu de la canonnade, bras levés, une cuisse légèrement fléchie devant l'autre, Betty Boop blonde en guêpière, gants et bas résille, quel est le crétin qui a mis Joe Cocker, *you can leave your hat on*, elle enjambe le panier en roulant un gant depuis le coude, sans quitter Jean-Pierre des yeux, pivote, jette le gant que Dufour rattrape, détache ses jarretelles et commence à se dégrafer sur le rythme, Edwige a fait un pas en arrière, littéralement médusée, et Béatrice, dans l'agonie des fusées d'artifice, se retourne au moment où tombent ses dentelles, glisse déjà un doigt sous l'élastique... Et Jean-Pierre porte la main à sa poitrine, s'affaisse sur place. Immédiatement, Béatrice a compris et moi aussi, sa trousse, vite, dans sa voiture, tandis qu'on étend Jean-Pierre sur les dalles de la terrasse...

Voilà, comme pour ce con de Bruno, elle est à nouveau à l'œuvre, ausculte, prend la tension, et l'effet est étrange de ce visage tendu, de ces gestes sûrs dispensés par une femme quasi nue, en talons hauts avec juste un bout de dentelle sur la peau et des bas qui riboulent. Qu'est-ce que tu veux, mon vieux, diagnostic confirmé, une prochaine alerte serait à éviter: bilan cardio, pontage... Bernier soupire profond, oui de la tête, on verra... Jean-Pierre s'est assis, se relève, soutenu par Raymond et Dufour, il serre les lèvres et ne regarde même pas Béatrice, sa nudité obscène et magnifique, ni Edwige qui la foudroie, il regarde fixement l'anse brisée du panier, fait même un pas pour la toucher, et puis on ne refait pas un type pareil, il tonitrue autant qu'il peut:

– Je le savais que vous vouliez me tuer! C'est raté! Alors la fête continue! Musique, champagne!

Le reste de la soirée, je me noircis sans faillir, je danse à la sauvage, un bout avec Emma, un autre avec Mélanie, je leur dis que je les aime, que j'ai envie d'elles, je leur récite du Cendrars, elles ronronnent, et je les abandonne sans un merci, *can't buy me love*, Dufour règne sur la sono, varie les effets, de Platters en Beatles, je bouscule des couples qui rockent sur la terrasse, je pousse l'instit Serge tout habillé dans le bassin pour voler un baiser à Hortense au bord de la piscine, il sort, dégoulinant, on se frite un peu, quelques tartes au hasard, Raymond nous sépare et me propose un petit poker dans la cuisine, non, alors prête-moi deux cents, il y a un tapis à Vaison, pas question, pauvre bègue même souffleur tu pourrais pas, pauvre tout court toi même... Et le temps de cette nuit va ainsi son train d'aventures inutiles. Jean-Pierre est affalé au canapé, Edwige blottie, ils ne boivent pas, parlent bas, et leurs yeux ne rient qu'à ceux qui viennent leur dire bravo, félicitations. Béatrice n'est nulle part, son feu d'artifice a foiré, personne ne s'est inquiété d'elle, même pas moi, elle est partie, j'enlève les fusées brûlées du panier, le drap hop là jeté dedans, et l'assistance quitte les Vendangeurs par grappes, des autos démarrent, je finis par être seul avec Reggiani, maumariée, oh maumariée, quand ils t'ont trouvée, si blanche et dorée, blonde, blonde, blonde... que j'aurais su t'aimer...

Là-haut un fracas traverse l'étage, je

grimpe, bégayant du jarret, à peu près quatre à quatre.

Béatrice est debout au milieu de la chambre, face au lit, poings aux hanches, le visage rayé de mascara, rouge à lèvres de traviole, son costume d'effeuilleuse renfilé à peu près, elle a balancé la photo de son mari contre le mur et les éclats de verre sont des comètes éteintes tombées sur le drap. Et cette voix mouillée :

— Tu vois Bertrand, toutes les salopes que tu amenais ici, elles m'arrivaient pas à la cheville !

Et puis elle me voit, ouvre les mains, juste les mains, comme si elle s'excusait d'avoir si peu à offrir, de n'être qu'un cadeau délaissé par un enfant cruel :

— Tu la veux, ta nuit de Falstaff ?

— Je veux la nuit de Rico, ce n'est pas la même...

Quelquefois je devrais me taire, surtout désormais que, saoul, la parole ne m'est plus un luxe, parce qu'elle pleure tout doux, la bouche demi-ouverte... Je tire le drap, avec des soins d'ivrogne, je le plie, que les bouts de verre n'en glissent pas, j'enferme dedans les étoiles mortes du cadre brisé et je jette tout par la fenêtre. La prendre dans mes bras maintenant, lui poser un baiser à chaque joue, en avoir les lèvres salées, un goût bonbon de rimmel, et me calmer les doigts, m'escrimer à lui rattacher chaque agrafe de la guêpière, l'étendre sur le lit, tentante encore d'indécence malgré tout, me mettre à son côté, tout habillé, et qu'elle vienne tout contre, le nez au creux de mon épaule et que sa respiration s'apaise et que mes larmes coulent enfin, au moment où l'aube passe les dentelles de granit, là-bas, sur la crête.

Moi qui ne suis pas le fils de Flaubert, Frédéric Moreau, mais le vaux bien pour avoir peut-être entrevu cette nuit l'ombre d'un amour, moi dont les éducations sentimentales sont encore bien balbutiantes, je sais que c'est là ce que j'ai eu de meilleur, quoi qu'il me soit arrivé ensuite ou qui survienne dans le décours à venir de ma vie.

Est-ce que je sais pourquoi, le lendemain de cette chaste nuit, je suis descendu, dans le ravin, au risque de déraper sur la pente sablonneuse, aller m'échouer, me découper la carcasse contre les tessons aigus ? Bien sûr, j'ai bu, comme d'habitude, à faire l'âne. Mais surtout j'ai l'impression que gît là un monument, quelque chose qu'on a voulu laisser en l'état, qu'on aurait pu combler de terre mille fois. On ne l'a pas fait. Il fallait que ce verre continue d'étinceler. À la descente sur le cul, j'ai freiné des quatre fers, accroché à chaque racine, jusqu'à prendre pied sur la lèvre ouverte de cette plaie profonde au coteau. D'ici on voit mieux que le gros des bouteilles s'est fracassé contre le versant couronné de vignes, à l'opposé, sûrement projeté du camion quand il a gîté et écrasé ensuite par sa masse. On dirait un site de fouilles maritimes asséché, avec la cargaison perdue, demi-enfouie, d'un galion pinardier. À part les épaves tranchantes du naufrage, il n'y a rien à voir, que des grillons au travail et l'air étouffé du soleil capturé par l'amas de verre, au point de brouiller les lignes du paysage comme une télé mal réglée. Rien d'autre. Si je m'attendais au trésor de la sierra Madre, comme dans le bouquin de Traven, me voilà bien avancé, maintenant il faut remonter, me bousiller les ongles à crocher dans ce sablon pierreux. Si je prends en biais, la pente est moins rude… Allez… À mon premier appui, une bouteille roule sous ma chaussure. Elle est intacte, suffit de la frotter avec la paume et je reconnais l'écusson Gigondas La Tuilerie, avant qu'il ne devienne un cru, et le millésime. 68. L'année manquante. Et puis arrêtons de se mentir, je suis descendu parce que je le savais, intuitivement.

Je reviens au petit trot vers le domaine. Où est Simone ? Devant les ordinateurs du bureau, justement à essayer de récupérer *in extremis* le lot de bouteilles égaré cette année par le transporteur. Je pose la mienne à hauteur de son coude :

– Pas sûr qu'il y en ait assez pour ta production actuelle...

Elle voit immédiatement le millésime :

– Une bouteille de 68 ? Où tu l'as trouvée ?

– Dans le ravin.

– C'est donc là qu'elles sont passées... Dire que je les ai sous le nez depuis quarante ans !

– Ta mère ne t'a pas expliqué ?

– Pourquoi ? Ces bouteilles ne valent rien puisqu'on n'a pas pu les remplir, à l'époque.

– Mais...

– Mais rien du tout !

Antoine est entré discret, souple et silencieux malgré l'âge, dégaine de lutteur et façons de mercenaire. Il me taloche l'épaule :

– Je t'avais dit de pas réveiller le malheur qui dort là-bas !

– Quelqu'un est mort ?

– Le vendangeur qui conduisait le tracteur. L'accident de travail bête... La cargaison a bougé sur la plate-forme, il s'est arrêté au bord du ravin pour resserrer les sangles et tout a basculé sur lui... Un émigré, pas de famille... C'est Edwige qui l'a trouvé, avec ton père, Rico, qui n'a pas levé le petit doigt... Il a filé pendant qu'Edwige descendait seule essayer de sauver ce pauvre bougre... On a cru qu'elle devenait folle... Elle en était aux débuts de sa grossesse, Jean-Pierre venait de l'abandonner... Jusqu'à ta naissance, Simone, elle est restée pas vaillante du moral. Tu lui as rendu la joie. Maintenant, c'est oublié... Si l'un de vous lui en reparle, ou même à David, il aura affaire à moi !

On a fait oui de la tête, tous les deux, devant ses yeux froids, et Simone a mis la bouteille dans un tiroir, celui dont elle a la clé. Je suis allé répéter, l'image de mon père imprimée derrière les yeux, un couard, un indigne.

Ce jour-là, j'ai été ivre très tôt. Et chaque soir suivant, flacon après flacon, je pénétrais plus loin dans mes excès, mes explorations de la parole et du monde, je me sentais à ma taille véritable, conforme aux constellations régissant mon destin, l'égal de ces comédiens burinés de mille vies, de ces femmes dorées, le livre universel à moi seul, je suivais Shakespeare et Marlowe au long des docks de Londres, je me préparais aux servantes à tétons magnifiques, aux rixes de bouge et à la mort qui vient tôt. Ce qu'il me fallait c'était de l'hypocras à boire avec Richard III, du gros, de la vinasse à poilus versée par Cendrars, le pinard des soudards de Hugo, du rouge sombre, sang de bœuf! J'aurais bouffé crus mes compagnons de ripaillerie, ribaudé les dames. Et toutes ces démesures je les hurlais, j'emmerdais tout le monde. J'allais si au-delà du tolérable que Béatrice m'a giflé, une fin de fête où je la traitais de catin de village, dis-le que mon père t'a sautée, et Bruno, et tous ici, alors moi je veux pas de toi! Paf, la baffe a claqué… Emma a applaudi.

Aux répétitions suivantes, Béatrice n'a pas reparu et Emma, pendant nos scènes, se frottait contre moi et me chuchotait salaud, salaud, à l'oreille. J'en rebégayais presque.

Et puis, Béatrice revenait pour la première fois au domaine, j'étais dans mes petits souliers à la voir sage, assise au bas du plateau, oui les vendangeurs ont connu une nuit de toutes les apocalypses. À cause de l'acte quatre. Falstaff, encore attiré par Quickly à un rendez-vous piège avec madame Ford, se montre lâche une nouvelle fois devant l'arrivée imminente du mari et, sans savoir qu'il endosse le costume d'une matrone haïe par Ford, se déguise en vieille, maman Prat, et reçoit une volée. À la répétition du soir, Antoine-Ford avait bien essayé de retenir son bras, d'y aller pas trop allegro de la torgnole pendant qu'il coursait Bernier sous la galerie, le débusquait au détour d'une colonne, le baffait, le rudoyait, de peur qu'il ne refasse un malaise. Déjà hors d'haleine à cavaler ainsi, Bernier fulminait. Fallait taper vraiment, on n'était pas chez des cascadeurs de cinéma, dans les effets spéciaux, si Falstaff n'a pas mal, il ne peut pas être ce chien qui fuit, merde, pas question de me ménager…! Voir ce géant à barbe de patriarche, le bide boudiné dans une robe-tablier à fleurs, grande taille, achetée au marché de Vaison, arpenter le plateau, ses frous-frous au vent, gesticuler, chercher ses bretelles avec son geste instinctif, ne pas les trouver, s'énerver, se fourrer les pouces au décolleté, on n'en pouvait plus, il aurait hurlé à déraciner le platane, on aurait continué de rire. Bien sûr, plus on se tenait les côtes, plus il furibardait, se tirait sur la tignasse, venait nous aboyer dessus, une main en visière pour nous repérer dans l'éblouissement des projecteurs. Il avait fini par avoir un râle rubicond dans sa barbe blanche, Béatrice était montée sur le plateau son tensiomètre à la main, allez pas d'histoires, donne-moi ton bras et Bernier obéissait tout en rouscaillant, et s'arrêtait net, quoi, je fais combien? Béatrice rangeait son appareil, elle l'a regardé bien en face : trop pour continuer aujourd'hui.

— Je sais que tu es incapable de dormir

maintenant... Si tu promets d'être sage, de prendre les cachets que je vais te donner, on passe une soirée calme aux Vendangeurs, ensuite au lit et demain tu es presque un homme neuf, sachant que tu refuses toujours le cardio...

– D'accord. Et je ne vais même pas me fatiguer à me changer, j'y vais habillé en carnaval...

Mélanie a pris la balle au bond :

– Nous aussi ! Les hommes en femmes et les femmes en mecs ! On se met en condition pour la grande mascarade du cinq où on est tous déguisés !

Bernier est descendu du plateau lui embrasser le front :

– T'es la meilleure, à part moi on ne reconnaît pas assez ton talent ! Ahahah...!

Et on aurait pu croire que son rire, en même temps que Nicolas éteignait les projecteurs, convoquait des nuages obèses. Une lourde bâche noire, pansue à crever, qu'on n'a pas vue tout de suite, le pleins feux encore au fond des yeux, s'est tirée sur le ciel. Restaient les lumières de la cour. Et l'air s'épaississait vite, on se sentait des rigoles de sueur aux joues. Dufour est revenu au prosaïque :

– Bien joli, mais j'ai laissé ma robe de soirée à Paris !

On a rigolé mais il avait raison, à moins d'échanger nos vêtements entre nous. C'était la solution évidente, Emma, toute mince, tiendrait dans le froc, la chemise et une veste de Raymond, Hortense et Mélanie, fallait plutôt fouiller la garde-robe d'Antoine et prêter leurs robes d'été à Nicolas et François, et puis Edwige ouvrait son dressing, elle avait conservé quelques costumes de son père... Moi j'étais face à Béatrice, on s'est à peine interrogés du regard et elle m'a suivi dans le chai. J'ai retourné mon sac, dégoté au fond mon complet de lin noir, tout fripé, une ceinture, sauf que je n'avais plus de chemise propre.

– Pas grave, je boutonnerai la veste... Tu me dessineras une moustache ?

Bien sûr, si elle me maquillait. Vendu. Pendant que je m'exhibais en slip, hérissé de fraîcheur, elle a fait glisser sa robe, une ample en coton blanc, décolleté en V, à fines bretelles, et me l'a tendue, nue sans fausse pudeur, à quoi bon désormais qu'on la connaissait tous par cœur :

– Tiens. Tu devrais tenir dedans...

Effectivement, peut-être un peu juste à la

poitrine, tant pis… Elle est entrée dans mon costume sans embarras, a roulé le bas du pantalon, serré la ceinture au dernier cran, enfilé la veste et voilà ! Fallait pas qu'elle se penche trop sinon sa nature exubérante reprenait le dessus, mais épaules droites, menton levé, rien à redire, elle était correcte. Les chaussures, évidemment, pas question de les échanger… On s'est passés en revue, bien face à face, et le temps d'un grondement dehors, vers la vallée, on a oublié les odeurs de fermentation, les néons crus au-dessus des cuves, on est retournés aux temps muets, avant le vin, le théâtre, les excès des nuits, mes méchancetés et la baffe, et on savait bien, pour une fois, qu'on était au-delà des paroles, qu'il valait mieux se taire et que nos mystères, nos pauvres petites vies, étaient là, transparents et offerts, dans nos yeux sérieux. Et puis elle a plaqué ses cheveux à l'eau, j'ai ébouriffé les miens, elle a pris une brosse à cils, des fards, et m'a maquillé music-hall, on me verrait à des kilomètres, et à mon tour je lui ai peint une chouette moustache de danseur de tango, effilée. Un coup de rosé pour fouetter les sangs, on a trinqué de la pipette, et on est sortis, bras dessus bras dessous. Au moment de passer la porte, elle a levé ses lèvres vers moi, j'ai dit :

– Non… Je te mettrais du rouge. Et je ne te mérite pas.

Dans la cour on se brûle la plante des pieds aux dalles où les autres se découvrent déguisés, plaisantent et se rajustent mutuellement les frusques d'emprunt. Deux filles de Sablet, décolorées platine, mon âge, embringuées parce qu'elles sont venues à la Tuilerie un jour trop tôt faire les fées dans le cinq, tâchent de ne pas détonner dans des fringues démodées de types mal élevés. Je les connais, elles m'ont assez charrié sur mon « bégayage », des étoiles d'arrière-bistrot qui rêvent d'Hollywood. Magali et je ne sais plus.

Aux Vendangeurs on joue le jeu, on se met en rang, nous les fausses filles, comme des héritières qui font tapisserie au bal, des juments à réclamer, dans l'attente du cavalier joli qui viendra les chevaucher quand même. Bernier, avec sa barbe d'ermite, tient le rôle du chaperon, nous ordonne de baisser les cils, il se fait fort de protéger notre vertu, prêt à faire rempart de son corps s'il le faut. Pendant ses chichis de douairière et qu'on rit à ne plus pouvoir, des roulements dévalent des collines où des éclairs se plantent profond... Et ces dames, un gobelet de rouge en main, prises dans des gilets d'homme, harnachées de larges bretelles à la pépé, cravatées, morgueuses, nous reluquent depuis le bout de la salle, nous font des clins d'œil, nous sifflent. Edwige porte un complet rudement cintré à larges revers... Dufour, à hurler dans un bain de soleil d'Hortense en vichy rose, a mis du Susanna Rinaldi, des tangos tragiques.

Aussitôt Emma, moulée dans un costard à rayures, vient m'inviter, cambrée gaucho, elle ne désarme pas celle-là :

– Mademoiselle, je peux vous offrir un verre de vin après un tour de piste ?

Et bas :

– On fait la paix, t'es trop tentant...

– Oh les tentations...! J'ai surtout envie de vin mais je suis une demoiselle qui sait se tenir...

Son nez retroussé se fronce, elle me prend la main, m'amène au centre de la salle, m'enlace, on se fige en tableau vivant le temps d'attraper une mesure, un deux trois, et en avant, applaudissements !

Les autres suivent, viennent incliner la tête,

solliciter une donzelle mal rasée qui esquisse
une révérence avant de mettre une main à
l'épaule de son danseur et se laisser empoi-
gner les reins, le corazón en chamade. Bernier
minaude dans les bras de sa promise, fait des
figures compliquées, manque se briser le dos à
des renversements où Edwige est incapable
de contrôler le poids de cet éléphant en robe
à fleurs, et puis elle renonce, va au jardin
contempler le ciel obscur. Béatrice, menton
baissé, les yeux dans les yeux, virile, coudes
écartés à l'argentine, mène fermement l'instit
Serge qui a gardé un jean sous son jupon
brodé. Et Raymond, perdu dans une tunique
mauve, traverse poétiquement les couples,
distribue du rouge dans des verres en plastique, si bien qu'on évolue d'une main, et
seules les hanches, serrées, les jambes étroite-
ment mêlées, maintiennent la cohésion des
danseurs. Avec Emma, on cahote au mieux,
je lui marche sur les pieds, souvent au bord de
basculer dans le décor, à s'éclabousser de vin,
son bassin est collé au mien, ma robe trahit
mes émois, elle jouit de son pouvoir, mon
maquillage fout le camp de sueur, et l'univers
est quand même en ordre.

Juste comme on bredouille les derniers pas,
dehors, un grondement de fin du monde

court, le Grand Chariot s'est décroché du ciel noir et nous arrive en plein dessus !

Immédiatement, le déluge s'abat, subit, pas des gouttes, un torrent mauvais qui noie le ciel, l'espace aérien autour de la maison, fait entrer les odeurs âcres de terre fouillée d'eau. Tous on s'est arrêtés, on va aux fenêtres, à la porte du jardin, même les éclairs luisent à peine au fond du paysage liquide. Rinaldi entame un autre tango tendre et cruel qu'on entend à peine, « *Sola...* » et la lumière s'éteint sur un ooh crié d'une seule voix. Parce qu'on n'y voit strictement plus rien, aveugles d'un coup, jetés aux profondeurs de la nuit, à en perdre le souffle, asphyxiés d'obscurité mouillée.

Une femme crie, affolée, dans le bruit métallique de la pluie diluvienne et c'est le signal, je ne reconnais pas les voix mais ça s'empoigne, ça saisit le plaisir qui passe, oh oui, oui, attends, attends, ça murmure, ça grogne, ça renverse, du verre pète, des gifles claquent, même au bleu pâle des éclairs plus proches on n'a pas le temps de voir qui, un briquet s'allume tout de suite balayé, et puis ça se bigorne, ça naufrage dans les meubles bousculés... Bacchantes, ménades et satyres se déchaînent... Calme, reste calme, je sens que le bégaiement me revient de manquer de repères, possible que le vin n'opère qu'en pleine lumière... Le disjoncteur, je suis le seul avec Béatrice à savoir où il est. Dans le petit cellier de la cuisine... Peut-être il s'est déclenché et il suffit de remonter à nouveau sur *on*... D'abord me situer... Je ne dois pas être loin, vers la porte d'entrée, si je suis le mur à tâtons, je peux... Le premier choc me prend à l'improviste, pas prêt à amortir, je valdingue, expédié d'une bourrade, je tombe à genoux, me relève, tendu, repousse quelqu'un, le mur, faut retrouver le mur, en même temps je dérape dans le vin renversé, quelqu'un me cogne à l'épaule, je percute un corps qui fait han et je me rétablis pile à un chambranle de porte ouverte... La cuisine ? Oui... Là-dedans aussi on grogne, on râle, on se tamponne aux meubles, je devine des pleurs effrayés par-delà les ruissellements d'eau, deux pas à gauche, le cagibi, sss'iiiil-vvvous-ppplaît, merde je savonne de la langue, attention, ne pas ébouler les caisses de joyeuses en réserve... Le tableau électrique est en face, à hauteur d'épaule... Voilà... Remonter le disjoncteur vers le haut, si je me souviens... Il est relevé... Donc la coupure vient du réseau...

Et, pendant que je tâtonne, je sens une présence contre mes genoux, un halètement, je tends la main, du poil, je caresse, un petit jappement, qu'est-ce qu'il fout ici, ce chien, le voilà qui me lèche la cuisse maintenant, j'essaie de l'écarter à coups de pied, mais l'animal se dresse sur ses pattes, on me grignote le décolleté à belles babines, je vais être dévoré vivant par la bête du Gévaudan, des griffes me troussent, prennent mes fesses, remontent, m'agrippent aux épaules et on m'escalade, on m'entreprend, on se frotte, nom de Dieu allez résister, je saisis des hanches à pleines paumes, on me guide profond et c'est ma première fois de puceau, là, debout, dans ce cagibi, avec une inconnue. Ah, c'est tout, fini, mort, le dos me cuit, comme d'une flagellation, les jambes me manquent, je glisse au sol, contre les cartons de bouteilles, hors d'haleine, à peine conscient qu'au-dehors la bataille continue, violente et sensuelle, jusqu'à reprendre souffle et que le chaos alentour me ramène à moi, que je me lève, je vais au jugé, quelques pas parmi les démons qui grondent et me frôlent, je devine entrer dans la salle aux bruits plus amples, répercutés plus large, et menaçants…

Et la lumière revient, qu'on cligne tous des yeux, en même temps que la voix de Rinaldi et le gémissement du bandonéon, pile où elle s'était interrompue, *sola, incredibilmente sola…*, et on n'a plus qu'à découvrir le champ d'honneur après l'échauffourée, pas mal gênés… Parce que Mélanie est à genoux, paupières baissées, devant Nicolas, que Dufour et Raymond sont à s'étriper, tellement incrustés l'un dans l'autre comme des catcheurs qu'ils forment un petit tas de corps confondus où on ne reconnaît pas leurs membres respectifs… Les joues sont tuméfiées, on a griffé et mordu dans le gras des bras, l'instit Serge saigne du nez, bien fait, et nos déguisements ont subi des outrages irréparables. Peu de boutons ont résisté et personne ne parvient à se maintenir la dignité totalement, on se drape de pans de robe déchirés, on noue du lambeau taché de mayonnaise, Hortense en a plein le dos, comme si elle s'était couchée dans les amuse-gueules, on garde les bras croisés sur une veste qui ne ferme plus… Magali et je ne sais plus agitent les mains, larmes aux yeux d'avoir été chamboulées, se rajustent au mieux la pudeur. Emma parade, débraillée au possible, une manche de veston arrachée,

141

et alors, on en a bien profité, non ? Seule
Edwige est intacte, debout près de la porte-
fenêtre, en sentinelle sombre, elle n'a pas dû
bouger depuis que le noir s'est fait et la mêlée
l'a épargnée. Dans mon dos, je le sens, les
ongles de la bête m'ont labouré profond et la
robe de Béatrice est gâtée de sang. Décidé-
ment, ces dames ne m'épargnent guère la
peau ! Elle, Béatrice, pas mal chiffonnée,
l'œil lointain, rafistole son froc dont la ceinture a sauté. Pour laquelle de ces dames ai-je
été un gibier traqué jusqu'à la curée, un
Falstaff au petit pied ? Béatrice aurait eu la
même idée que moi d'aller rétablir l'électricité au tableau...? Emma aurait suivi mon
bégaiement paniqué ? Une autre...? M'en
fous, maintenant, j'ai passé le Rubicon, je
saurai parler aux femmes, je peux bien me
délier la langue au goulot d'une joyeuse !

Le mobilier a valsé allégrement, la vaste
table dérangée, maculée de sauces, de reliefs
de plats écrasés, les chaises au diable, et les
bouteilles ont mal supporté l'obscurité, cer-
taines vidées à la hussarde, d'autres ont
roulé, se sont vidées ou brisées contre les
murs, encore heureux qu'on n'ait pas les
pieds en sang, ça pue la vinasse par toute la
maison, sur nos vêtements, et l'orage qui

s'exténue. Bernier est le premier à réagir, avec son rire de tonnerre, nom de Zeus, si on pouvait atteindre cette apocalypse euripidienne dans l'acte cinq, qu'on lâche la bride aux pulsions, et l'assistance le suit, on se montre du doigt, on plaisante nos avanies, dis donc t'es drôlement arrangé, on console aussi les éperdues, on cautérise les balafres à la salive, du bout de la langue, on cueille une giclée d'aïoli sur une épaule nue… Dehors, la pluie a cessé net, l'orage s'éloigne qui nous a dévoilés, et Bernier a raison, on a joué pour de vrai le dénouement des *Commères*, certainement comme jamais… Moi, Fenton, j'ai même peut-être eu de vraies noces avec Emma Page…

– Je dérange ?

Un escogriffe buriné Côte d'Azur, dégoulinant de la tignasse, blond comme moi, en jean et polo noirs trempés, est sur le seuil. Mon père !

Sans se retourner, Bernier répond, grave et théâtral :

– On n'attendait plus que toi, David mon chéri…

Et il pivote, bras ouverts en grand, que papa brave la tornade de son rire, aille lui donner l'accolade :

– Mon salaud, tu ne vieillis pas, toi... Je comprends que les dames...

– Tu me fais du gringue, Jean-Pierre ? À vrai dire je te trouve très séduisante dans ta robe de bal !

Ils échangent ainsi plein de bêtises, vite... En même temps, les yeux de papa se perdent, je le sens cavaler en esprit par toute la maison... Nous autres on attend bien sages la fin de la cérémonie des retrouvailles, le rappel du glorieux passé, les noubas de vendanges ici même, on sourit des grandes tapes sur le ventre, des plaisanteries de vieux gamins. Edwige, là-bas au jardin, a un sourire de cartomancienne qui vient de tirer le Grand Jeu. Tous immobiles. Jusqu'à ce que papa m'aperçoive, ou me reconnaisse :

– T'es là, toi ?

Pas plus d'émotion. Instinctivement, je fais oui de la tête et lui instinctivement reprend son habitude de me suppléer dans le dialogue :

– Non, non, je ne vais pas t'engueuler, puisque tu t'amuses, pour une fois... Même, être déguisé en fille te va bien... Me raconte pas d'histoires, j'ai vu Simone avant de venir... Ben oui : comment je vous aurais

144

trouvés sinon ? Donc, t'es sorti de tes bouquins…

Il me prend l'épaule, voit le sang à mon dos, les croûtes à mes joues, houlà, t'as dégusté, vous faites quoi, une messe noire avec sacrifice d'un enfant et vous avez choisi le mien ? C'est toi la grande prêtresse Béatrice ? Fatiguée, Béatrice, même pas le cœur à l'humour, ni la force des incartades pour tourmenter l'ombre de Bertrand :

— Pas du tout, Rico organise de main de maître…

— Je suis régisseur, papa, y compris pour les fêtes, et je joue dans la pièce, deux rôles !

La tête qu'il fait, pire que si je lui annonçais le pire :

— Tu parles, Federico ?

Ne pas lui dire mes ivresses nécessaires, que seul le vin me délivre la parole, ni que je sais ses trahisons anciennes :

— Je mens. Et surtout aux dames qui n'y attachent pas plus d'importance que moi… J'ai été à bonne école…

Oh le regard mourant de Béatrice, chaviré au gris ! Elle a compris l'allusion à son ancien refus d'épouser mon menteur de père. Papa a une espèce de ho ironique, je le mordrais. Bernier me secoue d'une main :

– Que tu crois, petit Peres! Un jour tu seras en train de badiner, dire à une demoiselle un faux amour juste au moment où il te saisira au cœur! Et là, quand tu diras la vérité, elle sera sûre que tu mens... T'auras l'air malin...

Suffit tes leçons de théâtre, Bernier, je veux seulement bousculer papa, qu'il me regarde autrement... Je ne suis pas amoureux, je ne suis pas amoureux, je dis seulement les mots... Autour, la soirée a repris son train, on balaie, on sauve la nourriture épargnée par le déchaînement païen. La bande de carnavaleux éreintés, la troupe en haillons, torchonne! Ces dames ont aussi des attentions pour papa, un ballon de rouge, une part de fougassine... Emma essaie de placer son numéro de frôleuse, papa lui sourit à peine. Edwige a fini par quitter sa réserve, venir donner les trois bises rituelles et s'enfourner les mains dans les poches de sa veste d'homme :

– Drôle, non, de nous retrouver tous ici? Tu te souviens?

Papa a baissé le ton, un chien en arrêt, c'est sa voix d'affaires, pas de sentiment :

– Qu'est-ce que tu mijotes?
– Rien. Simone t'a raconté j'imagine?

Jean-Pierre donne ses adieux à la scène, j'ai pensé qu'il fallait boucler la boucle, finir aux lieux des débuts... C'est tout... Le hasard fait que Béatrice a prêté sa maison pour nos récréations, n'y vois aucune intention particulière... En plus Jean-Pierre a accepté de m'épouser...

Et elle se niche, telle quelle, en costard mauvais goût, grosse moustache au charbon, sous l'aile de Bernier qui ne se sent plus de fierté, la graisse en majesté, zyeux plissés, minaude dans sa robe à deux sous :

– Je prends enfin mes responsabilités... Tardivement mais... Je donne un père à ma fille : Simone, tu le sais...

Papa jaloux, et à ce point, je n'ai jamais vu. Presque ma peau se hérisse de sa colère brutale. Il saisit Bernier au colback, le soulève à demi malgré son poids, l'envole sur son élan par la porte-fenêtre, sous des étoiles neuves et ils sont au jardin, papa va noyer Bernier dans le bassin, non il le renverse avant, parmi la boue de l'orage et la vapeur de la terre, le chevauche, l'étrangle, il ne crie même pas, les mots lui sortent chauffés à blanc :

– Simone, ta fille...? Répète ça et je te tue !

– C'est vrai...

Edwige a suivi comme moi et les autres accourent, interdits, elle est devant papa qui lève les yeux sans lâcher prise :

– ... Et tu ferais bien de l'admettre comme elle l'a admis, David, sinon moi je t'écrabouille !

Elle tient une bouteille par le col, babines retroussées, prête à déchirer, bacchante en vrai. Jamais je ne l'aurais pensée aussi louve, toutes élégances abandonnées. Et papa se redresse, maculé de terre, laisse Bernier haleter dans les flaques tièdes comme un hanneton culbuté :

– Tu pourrais... Mais ta mémoire, tu lui ferais quoi ?

Et il s'en va, se cogne aux fêtards défaits, pas un regard, une parole pour moi, il repousse Antoine, sa robe ridicule, son maquillage de maquerelle, ses grandes mains apaisantes, ses consolations murmurées, viens, David, viens, rien qu'à traverser la maison, il prend des siècles, mon père, à ne pas croire qu'il tienne debout. Comme on entend s'emballer le moteur de son auto, toute la nuit me descend au cœur, même boire ne me dit plus rien, ni parler, j'ai bien compris l'autrefois, cet été de vendanges, la rivalité de Bernier et mon père pour Edwige, elle est enceinte à l'automne sans vouloir dire de qui, mais Bernier est monté à Paris… Après l'accident où il s'est mal conduit, elle refuse d'épouser papa qui prend maman par dépit, fait à nouveau sa demande une fois veuf, est blackboulé encore, avec le temps elle accepte juste que le collaborateur redevienne ami, proche, confident… Il sert presque de père à Simone, et c'est pas vrai que papa est un coureur, maintenant je le vois bien, Béatrice avait raison le premier jour, tout ce temps il a donné le change, mais il ne pleure pas maman, il aime toujours Edwige, il espère vieillir à ses côtés, avec Simone, même avec leur secret sanglant, et maintenant l'autre revient et lui reprend tout… Oh c'est Augustin qui surgit à la fin du *Grand Meaulnes* et reprend à François Seurel la fille qu'il avait abandonnée après la mort d'Yvonne de Galais…! Romans je vous hais !

Le lendemain de l'orage, pourtant, du roman j'en ai plein les mirettes. Sablet a organisé sa Journée du Livre et des dizaines d'auteurs dédicacent leurs ouvrages, assis au centre du village sous des barnums, derrière des tables inclinées par les pentes, déjà confits de soleil. Au stand traditionnel des vignerons, le domaine de la Tuilerie, l'aristocratie viticole qui ne s'est jamais mélangée, est absent. Moi je suis bien obligé d'aller bredouiller des remerciements à mes généreux donateurs de vin !

Notre rendez-vous annuel, notre Compostelle de la lecture, Simone et moi on ne le rate jamais.

Elle m'a réveillé aux aurores, encore imbibé, pas démaquillé, encore dans la robe de Béatrice, elle m'a traîné à ma douche de

plein air, déshabillé férocement, pauvre crétin, ils se foutent de toi, t'es qu'un bouffon,
regarde-moi ces coups de griffes, je n'ai pas
relevé, impossible d'articuler une syllabe, les
bouffons sont des fous qui disent le vrai, et
toi tu te dessèches, j'ai frissonné sous l'eau
glacée, gueulé du borborygme à la morsure
du froid sur mon dos labouré et puis ma vie
est rentrée dans l'ordre du temps. Faire signe
à Simone, ça va, j'arrive, attends-moi, rentrer enfiler un jean, une chemise, une bouteille sifflée presque entière au goulot, volée
sur le stock, tant pis, et on est à gravir le
chemin jusqu'au centre.

Elle traîne un caddie, j'ai mon sac à dos,
vides. On se tait, même si dès le passage du
ravin j'ai la gorge assouplie, en deux-trois
phrases je pourrais me montrer bien acerbe,
moi le bouffon, lui dire sa garce de mère et
papa-Falstaff, va falloir l'accepter désormais,
t'en voulais pas, tu l'as quand même ! Et non,
je me renfrogne, j'allonge le pas, t'es plus ma
sœur adoptive, tu seras jamais ma femme,
suis-moi au bout du monde et là je t'enverrai
paître ! Elle trottine, ma souris noire, elle a
du jarret, elle s'accroche… Une fois là-haut,
je ne sais pas, par défi, espoir que la cha-
maille éclate, on ne se sépare pas, elle lit une

quatrième de couverture, je lis la même, elle demande une dédicace, je rejette le bouquin avec un dédain affiché, ça de la littérature, et vous vous prenez pour un écrivain monsieur? Attitude imbécile parce que Simone a son programme arrêté, elle a coché ses auteurs préférés sur la brochure de la Journée, Teulé, Grimbert, et elle me provoque:

– Prends-en de la graine, toi qui veux devenir écrivain!

Bien sûr, je lui rends la pareille, je vais me planter devant des auteures à séduction, je leur fais mon regard velours, battement de cils et respiration précipitée... Je ne suis venu que pour vous rencontrer, si vous pouviez le dédicacer à Federico, c'est moi, on m'appelle Rico...

– Oh Simone, si je pouvais écrire aussi bien!

Et la tête de Simone, son regard de total mépris sur les mémoires écrits par un nègre, la littérature de notoriété, de basse-cour, ses soupirs quand j'embrasse les jolies écriveuses stars des feuilletons télé! Sauf que je remplis mon sac de volumes que je ne lirai jamais, alors que la razzia de Simone...!

Et comme ça on redescend entre les vignes, par le chemin creux qui longe le stade avant de remonter vers la Tuilerie, grognons tous les deux de ne pas vider la vraie querelle, et chargés pires que des baudets. Emma, bien calée bras dessus bras dessous entre Nicolas et François, elle a remis sa robe rouge du premier soir et rit comme une femme adultère dans une comédie de boulevard, Emma arrive juste comme on s'en va. Elle a un petit sourire pointu... Dans le village qui ne parle que de l'orage et des dégâts aux vignes, des rivières en crue brutale heureusement vite calmée, on a croisé tout Sablet parmi la horde des lecteurs. D'abord Bruno, ce con d'adjoint, notre gueule cassée sorti de l'hôpital, qui ne lit jamais et tient table ouverte en terrasse de bistrot, fauteuil roulant, béquilles bien en vue. Il joue aux cartes avec Raymond pendant que Magali et l'autre bécasse, ravies de scandale, lui racontent leur panne d'électricité en agitant les mains... Ferait bien de faire attention Bruno, de moins se perdre au décolleté de Magali, Raymond va le plumer... L'instit Serge balance un sachet marqué librairie Machin à bout de bras, l'autre est aux hanches de Mélanie qui nous souffle un baiser de loin, pointe un doigt fier sur nos affiches partout: «*Les Joyeuses Commères de Windsor*». Antoine, massif, en chemise repassée de frais, se fout des affiches, il suit Hortense, sa coiffure à la Lulu et ses belles rides de femme sans illusions, et subit à grands soupirs, comme un chemin de croix, les arrêts devant les écrivains, perdu de réputation aux yeux de ceux d'ici. Au moins, on a un aperçu de la fragile géographie sentimentale des commères après l'orage... Nulle part Edwige, ni Bernier, ni papa. Béatrice je me défends d'y penser.

En repassant devant le ravin dont les tessons renvoient des papillons de lumière sur les pentes, comme la boule à facettes d'un bal en plein jour, notre pas pèse lourd, Simone s'arrête, regarde en bas le brasier de verre :

– Encore merci pour la bouteille, Rico... T'es bien le seul à avoir eu l'idée et le courage de descendre en chercher une... Maintenant on sait la vieille tragédie... Me demande pas ce qui s'est passé après le drame, et pourquoi maman n'a jamais ordonné à Antoine de le combler, ce foutu trou... Il est tabou, ouvre sur l'au-delà...

Ni dérision ni acrimonie, sa voix de larmes, celle d'après un livre qui l'a poignée au cœur. Mais la bouteille peu importe, elle cherche prétexte à dépasser les gamineries de l'instant, justifier ses lâchetés réelles ! Et elle s'assied au bord, jambes pendantes, moi aussi, là où j'ai l'habitude. Où je tente depuis des années d'apprivoiser par leur nom les collines, cette terre sablonneuse, ce raisin, sans parvenir à rien que baver des consonnes, une voyelle, mouillées, et repousser le monde, sa réalité tangible, à distance. Foutu trou oui, que je remplirais volontiers de terre, même à mains nues, mais on ne mure pas l'entrée des enfers sans que les âmes mortes ne s'offensent.

Elle a mis la joue à mon épaule, la colère me tombe, elle n'y peut rien aux vieilles histoires, cette enfant de quarante ans, de quel droit je jugerais, Edwige et Jean-Pierre raccommodent un tissu amoureux bien usé et papa est assez grand pour souffrir tout seul. D'ailleurs il ne voudrait pas de mes consolations. Je ne suis pas le fils de la femme qu'il aime, je suis un bégayeur, un maladroit qui bousille l'univers avec ses mots tout cassés. Même pas digne d'être embrassé, jamais autant que je me souvienne, à peine me poser une main à la nuque, à mes époques de tout-petit. Et les mots de Simone m'effleurent le visage, viennent à mes lèvres, je n'ai qu'à y passer la langue et ils ont un goût salé :

— Tu dois me prendre pour la dernière des dernières... Après mes dégoûts, mes colères, admettre d'un instant à l'autre que Jean-Pierre soit mon père... Pas parce que maman l'épouse, parce qu'elle me jure qu'il l'est... Et que je la crois... Pas besoin de test... Même pas d'être sûre qu'elle l'aime encore, ni lui... Ça n'a aucune importance, ils sont juste enfin des êtres libres... La liberté... J'ai longtemps espéré qu'on était frère et sœur, tu le sais, à cause de David, ses demandes en mariage à maman dès qu'il a été veuf... J'aurais bien voulu et non en même temps... De toute façon maman refusait : elle n'a jamais renoncé à Jean-Pierre... Peut-être qu'elle l'achète avec la production de ses adieux à la scène, qu'elle joue son va-tout avec un Don Juan obèse dont plus aucune femme ne veut, mais je ne peux pas empêcher sa revanche sur papy qui n'a pas accepté un saltimbanque comme gendre... La lâcheté de Jean-Pierre à l'époque devant papy, son égoïsme, elle a oublié, ou pardonné... Et c'est encore plus terrible d'être libre, moi, de t'aimer désormais, et d'avoir le double de ton âge, d'être laide et séduisante seulement de nos lectures communes, et que tu m'aies déjà repoussée... Je vais te dire pourquoi : tu es amoureux, mais tu ne le sais pas encore...

– Dedede qqqui ?

– De quelqu'un à qui tu seras capable de le déclarer sans avoir bu.

– Sssi jjj'ééé...

– Si tu l'écris ? Alors tu ne parleras plus jamais.

Pas du tout, la belle affaire, il suffira que la dame me croie !

Allez, on rentre. Je n'ai même pas encore affiché le tableau de service, préparé les accessoires, bricolé la coiffure à cornes de Falstaff... Ni assez bu pour mentir à voix haute sur les planches...

Tout à l'heure on met en place l'acte cinq des *Commères*, la bacchanale où tombent les masques, où Anne Page épouse en cachette celui dont ses parents ne veulent pas, et j'ai peur : papa parlait de la mémoire d'Edwige hier soir et la mémoire n'est jamais que la vérité démasquée...

Dans l'après-midi, pendant que Nicolas et François font les acrobates sur les ponts triangulés à vérifier tous les branchements, ouvrir les projecteurs noyés d'orage pour qu'ils sèchent avant la nuit, la smala des figurants arrive peu à peu, brochure en main, timide et guindée. Raymond, Hortense, les

157

autres, descendent des chambres et se mêlent
à eux dans l'ombre du platane, posée comme
la large main d'un fantôme géant aux dalles
de la cour. Toutes nos petites fées sont là,
dont Emma sera la reine. Magali et l'autre
Barbie paradent, tendent la joue aux bisous,
parlent haut, l'accent provençal bien appuyé.
Bernier, arrivé le dernier avec Edwige, son
dossier de mise en scène sous le bras, accuse
la fatigue, l'espadrille traînante et la bretelle
triste. Sous les yeux, il a des poches sombres.
Il s'assied à la table de régie, court de souffle,
et demande, presque bas, à voix exsangue,
qu'on se range en demi-cercle devant lui,
d'abord pour une italienne, une répétition du
texte à toute allure, sans intentions. Après on
travaillera les déplacements, il veut un
désordre total réglé au millimètre. Les figurants en frémissent d'avance. Donc, Quickly
donne rendez-vous à Falstaff avec madame
Ford à minuit, sous le chêne d'Herne le
Veneur. Il sera costumé en fantôme de ce
chasseur légendaire. Bien sûr, c'est un piège
où il laissera sa peau mais cette mascarade
permet à Anne Page, déguisée, d'abuser ses
deux autres soupirants, le toubib Caïus et
Slender le cousin demeuré, pour épouser
Fenton... Ah, j'oubliais : les masques seront

de convention, peints en blanc sur les visages, comme en Grèce archaïque… Allons-y, c'est Falstaff qui débute, «Pour la troisième fois je tiendrai parole. Maintenant Quickly, fous-moi le camp», Edwige répond, le regard bien droit dans le sien, «Je vous aurai une chaîne de revenant et des cornes», «Fous le camp, Quickly, on a peu de temps…» Même un néophyte aurait entendu qu'ils se parlaient vraiment, Jean-Pierre et Edwige, pas les personnages, et le reste de l'italienne court en équilibre fragile, sur un mince fil, Antoine hargneux, chaque phrase à peine articulée, les autres mal à l'aise comme tombés au milieu d'une scène de ménage impudique. Moi, assis en tailleur contre le mur du chai, une bouteille de rouge contre ma hanche, je donne mes répliques de loin, occupé à fixer deux ceps de vigne tor-turés sur un vieux casque de moto d'Antoine. Falstaff aura des cornes bachiques. Pas commode quand même, peut-être qu'avec une sangle à cliquet serrée à fond…?

Je verrai plus tard parce que Bernier s'est levé, distribue les emplacements… La scène 1 à l'auberge, donc près du tonneau qui l'indique sur le plateau, côté cour, les scène 2, 3 et 4 au bord du plateau, à jardin, ensuite, tout se déroule sous le platane, le chêne d'Herne le Veneur... Tous on le suit, on prend nos marques... Il arpente la cour, le plateau, montre, dans une sorte de ralenti, tassé, spectateur de lui-même, la voix monocorde, parfois inaudible, sans ses enthousiasmes et ses grondements habituels :

– Les fées, des ménades dans mon esprit, arriveront des vignes proches avec des torches quand Falstaff dit «À mon avis, le diable ne veut pas me damner, de peur que ma graisse ne mette le feu à l'enfer!» et quand Evans dit «Je flaire un être des enfers!», elles me découvrent caché derrière l'arbre et c'est toute la scène de bacchanale où je me fais brûler, dépecer à mains nues... Mon cadavre démembré restera dans l'ombre au pied du platane, petit Peres, faudra voir à trouver des morceaux de carcasses de mouton ou n'importe quoi, et, écoutez bien, là je fais fort : tout le texte qui me reste à dire jusqu'à la fin sera en voix off, diffusé par sono, comme si je répondais depuis l'au-delà! Et pendant ces répliques, les dames, Ford, Page, Quickly, les fées aussi, viendront arracher des lambeaux de ma chair qu'elles dévoreront ensuite, toutes sanglantes! Prévoir aussi du jambon cru, petit Peres... Ça vous la coupe hein ? Et puis Fenton et Anne, mariés en douce pendant le supplice de Falstaff, débouchent de sous la galerie comme au sortir du lit, enlacés, voluptueux. Page, Ford et les commères vont à leur rencontre et Anne partage avec sa mère le festin païen pendant que Fenton la caresse… La force vitale éternelle est passée en eux… Vu ? Dix minutes de pause et on entame.

Même les vieux compagnons de route, Hortense, Dufour, regardent le bout de leurs sandales, le grand Will va se retourner dans sa tombe ! Antoine a les yeux vides et les figurants, Serge l'instit, Caïus et Evans, Magali et l'autre star, sont effarés. Edwige sourit du bout des lèvres, comme à la frasque attendue d'un enfant. Et silence total. Moi je ne sais pas, peu m'importe, entre la fin du quatre et la fin du cinq j'ai le temps de m'envoyer des gorgeons, je ne buterai pas sur une syllabe, ni sur une caresse à Emma, ma parole. Bernier a déjà rejoint Nicolas, donner ses consignes d'éclairage, la troupe se secoue, s'éparpille se désaltérer, et Emma me taquine pour la forme, que je ne peux plus me défiler, la force vitale pas moins, je te tiens mon Rico…! Mais elle a les yeux loin par-dessus mon épaule. Je me retourne…

Béatrice est arrivée, sur la pointe des pieds, s'adosser au chai, légèrement cambrée d'avoir les mains contre le mur. Et là, la moindre tache de son à ses pommettes, le moindre frémissement de ses lèvres, la mèche à son front, la palpitation du cœur à sa gorge, toute la sage douleur de son regard, je les vois aussi clair que si je la tenais dans mes bras. Et j'y suis, tout près, j'ai volé à elle, voilà, voilà, c'est donc ça... Et on ne s'embrasse pas, pas la peine, pas la peine que je sois assez ivre pour lui dire, on a compris, juste mes doigts tremblants à sa joue, elle tourne un peu la tête, pose un baiser à ma paume. Maintenant on a le temps devant nous. Je peux rejoindre les autres à reculons, en plein soleil, mon ombre reste avec elle.

Jusqu'au coucher du jour, Bernier nous guide pas à pas dans son orgie païenne. Et le résultat ne donne pas à rougir. En pleine lumière, pour une première mise en place, le mystère sacrificiel fait long feu, les scènes de grande boucherie sans l'apparat de la barbaque boitillent bien encore un peu, les figurants brident leurs cruautés, mais l'ensemble tourne juste, avec une belle ampleur dans l'utilisation des lieux. Si bien qu'il décide un filage après une courte pause-dîner. Qu'on ait une vision globale de la couleur et de la cohérence de sa lecture. Parce que la générale est proche, on manque de temps... Voilà, merci, à tout à l'heure, il rejoint Edwige qui attend au seuil du vestibule, la prend par le coude, la rentre comme une indécente. Une Edwige, qui est de la première scène puis lance l'hallali, aux yeux agrandis, égarée au seuil de sa propre maison. Nous, les amateurs, on est un peu pris de court, si vite, Bernier, je commence à le connaître, peu à cheval sur les délais d'habitude, pas regardant à repousser au lendemain le travail d'une scène, Bernier a des impatiences aujourd'hui, une fébrilité des mains, dirige à marche forcée, et il oublie de rire. Autant je ne pèse plus rien, j'ai le cœur montgolfière, Béatrice m'a affranchi de la gravitation universelle, autant il a la semelle lourde, le geste épais. Il a peur des crépuscules.

On saucissonne donc sous la galerie dans les replis soyeux du soir, troupe au complet pour la première fois, et Simone rompt des pains, tartine les pâtés à larges tranchées, Antoine, débouche du rouge s'il te plaît, qui va chercher le chèvre à la cuisine, ceux qui veulent du poulet froid le découpent eux-mêmes, non plus de tapenade, elle gouverne le petit monde affamé, autoritaire pire qu'une cantinière aux armées. Et ses brusqueries, ses rebuffades claironnées, son humeur de chien, bien sûr qu'elles me sont adressées par la fenêtre ouverte dans son dos. Après avoir remis en place tous les accessoires avec François, j'ai rejoint Béatrice, dans la demi-nuit de la grande salle. On s'est retirés des regards, ce qui ne les empêche guère, moi vingt ans, elle trente-deux, le docteur Meffre, le fils Peres, on nous guette. Nous on laisse faire nos mains et nos lèvres entre deux grignotis de pizza, on est le couple d'origine, coupable et foutument fier de son péché. J'ai téléphoné à papa. Il a déjà quitté la maison, reparti au Brésil. Il espère être de retour pour la générale. Crac, conversation coupée. Ben voyons ! Tes lâchetés me tuent la vie, papa.

Comme la cour s'obscurcit, on entend Bernier, descendu des appartements d'Edwige, taper dans ses mains, on va y aller, Nicolas, tu peux donner un pleins feux, François, petit Peres, les accessoires…? Simone, débarrasse-moi ce buffet ! On démarre dans dix minutes ! Le temps de poser nos couverts, vider nos fonds de verre, Nicolas fait la bascule, coupe l'alimentation des bâtiments et passe toute la puissance du compteur électrique sur son jeu d'orgues. Le noir se fait quelques instants, il y a des ho et des ha, des rires, des cris forcés, on se retrouve la veille, au pire de l'orage ! Le temps que l'œil s'habitue, je tends les mains, touche celles de Béatrice, elle s'agrippe à mes épaules, et je ne peux pas m'empêcher :

– Dans le cellier des Vendangeurs, la nuit dernière, pendant la panne, c'était toi ?

– Dans le cellier…?

– Donc ce n'était pas toi.

– Je ne te le dirai pas.

– Tu ne sais même pas ce qui s'est passé.

Elle soupire à peine, tu es si naïf, mon Rico :

– Tout le monde le sait, une féroce t'a crucifié, à moins qu'un ours amoureux t'ait griffé le dos au sang…

Et les projecteurs allumés sec nous éblouissent.

Pendant tout le filage, j'ai été un fer au feu, sur des charbons. D'abord, il me fallait tenir Fenton tout du long, garder l'humeur, et dans les intervalles du rôle, puiser ma force de parole au goulot de bouteilles vite préparées à des endroits stratégiques. Et puis aider François à donner le top des entrées aux comédiens, ôter mon borsalino, mon écharpe de gigolo, pour intercaler mes deux scènes de porteur de linge sale avec lui, les remettre, vérifier mille fois les accessoires en place… Mais je bouillais surtout de Béatrice, quel imbécile de lui avoir posé la question du cellier ! Si j'avais voulu jeter le trouble en chacun de nous, je n'aurais pas fait mieux. Tellement j'étais aux cent coups, j'ai à peine senti la masse de Falstaff dans la panière de l'acte trois, «Au lavoir, pardi !», je l'aurais porté jusqu'au ravin sans effort. Bernier grognait là-dedans, une course en chahut, un atterrissage rugueux, il se massait les côtes à la sortie, et encore il a passé la main sur l'anse brisée et toujours pas réparée. Crevé, hors d'haleine, il conservait le réflexe de la perfection maniaque.

À part quelques anicroches de détail, des effets décalés, un rythme parfois mollissant, la pièce tenait debout. Allez savoir pourquoi, dès le début, la troupe s'est lâché la bonde, Bernier plus que tous, «Maintenant je peux mourir pour ce que j'ai assez vécu», il ne l'a pas ménagée, Hortense Ford, au début de leur premier rendez-vous, «Ne me trompez pas, monsieur», et elle poussait de petits jappements ! Les autres étaient au diapason de la lente montée de fièvre dionysiaque. Dufour et Raymond, à voir passer le moindre cotillon, avaient des yeux de bouc. Antoine rentrait dans le lard de tout ce qui bougeait, empoignait sa femme d'une main, mettait l'autre à ses reins et donnait sa réplique les lèvres à deux doigts des siennes. Edwige trouvait des airs d'entremetteuse de bouge, les poings aux hanches, la chair généreuse dans une robe à bustier lacé qu'elle inaugurait. Même Serge l'instit, Caïus, Evans, les amateurs du village, ont laissé parler les corps. La première scène de Serge avec Emma qu'il convoite, « Je vous en prie, monsieur, entrez », « Merci beaucoup... », ils nous l'ont donnée sur le souffle, en parade amoureuse, on en avait le poil hérissé en coulisse. Pistolet, Bardolph, les mercenaires de Falstaff, trimballaient leurs carcasses de piliers du club de rugby et il fallait bien la stature d'ogre de Bernier en face pour faire le poids, accepter le choc des bedaines ! À bien y regarder, Edwige seule était un ton en dessous malgré ses efforts, de nouveau dans sa retenue des débuts, lasse. Même le dernier acte, mis en place depuis quelques heures, sans les masques peints, les torchères, ni la voix enregistrée de Falstaff, mais avec son casque cornu, le mystère cruel avait de la gueule sous les essais d'éclairage de Nicolas. Ce type aurait tiré du 220 d'une dynamo de vélo ! Trois gélatines, un projecteur à lentille Fresnel, le tout dans une sorte de boîte occultée, il en avait bricolé vite fait pendant la pause-dîner une lumière lunaire, venue du toit du chai, qui allongeait l'ombre du platane colossal comme une fosse infernale, une faille nocturne, et baignait le plateau d'une citronnade légère. La lune, la vraie, en disparaissait. Ne subsistait que son aura maléfique.

Au noir final, se lève en coulisse un caquetage excité. Les yeux brillent, tous on a senti l'ineffable, la grâce ténue qui faisait qu'un monde se levait, aussi éphémère qu'une aube d'été et aussi vivant. Bernier me rappelle à l'ordre, les accessoires, les remettre en place tout de suite, et ma panière, est-ce que je suis sûr qu'elle va tenir, il ne s'y est pas senti si à l'aise, et il n'attend même pas ma réponse, il commence à prendre des notes dans un calepin… Pendant que je cours à ranger, répéter à chacun de suspendre les éléments de costume aux portants de la grande salle, j'ai quand même ma part d'allégresse, même Magali, vé mon beau, me claque un poutou, et puis ça retombe, les nerfs flanchent, jusqu'à quelques larmes, le bruit court qu'on dresse la liste des raccords de demain aux Vendangeurs, dans une demi-heure, et Béatrice n'est nulle part. Voilà commencés mes tourments d'amoureux ! De plus, je m'aperçois que la journée remplie m'a détourné de ma mission d'intendant des menus plaisirs ! Je ne sais pas ce qui reste au frigo des Vendangeurs ni combien de joyeuses ! Seule solution : Simone. Antoine ne me laissera pas emporter la moindre caisse sans son aval. Je la trouve dans le bureau, les doigts accrochés à sa tignasse, râlant que ces histoires de branchements de projecteurs lui coupent les ordis, s'il te plaît Simone, du rosé... Je suis prêt à me mettre à genoux, je sens ma gorge se renouer bien serré, s'obstruer de mots, et elle écoute à peine, prends ce que tu veux et fous-moi la paix... Merci... Simone... Excuse... moi... je me... dé... pê... che...

– Tu étais ivre quand tu lui as dit que tu l'aimais ?

– Jjj...

Tout à coup je ne peux plus, elle nous a vus, Béatrice et moi, elle a vu la foudre entre nous, je peux juste non de la tête.

– Tu ne lui as rien dit ?

169

Encore non de la tête.

– Écrit ?

Qu'est-ce que je peux d'autre que la regarder me fixer méchante, et ses larmes débordent… Simone, je ne mérite pas la jalousie, toutes les trois, Emma, toi et Béatrice, je ne comprends pas ce que vous me trouvez… Un bafouilleur, un qui ne sait pas son chemin, un sans-étoile… Ma seule certitude : Béatrice, la bafouée, l'écorchée, la femme offerte, celle qui se méprise de n'avoir pas pesé lourd à l'amour d'un mari, ma triste commère, peut-être je peux la racheter, peut-être justement de me taire, de lui offrir seulement ce que je serai capable d'écrire comme salut à tous les deux. Sinon, comment vivre ?

– Fous le camp, Rico, va trinquer avec mon père, tu vaux pas mieux que lui, ni que le tien !

Aux Vendangeurs, personne ne manque, sauf Béatrice, pas là. J'en ai des suées, déjà j'ai tout gâché… Comme la troupe au complet se piétinerait à l'intérieur, Bernier est contraint de lire ses notes dehors, sur la terrasse et autour du bassin. Il veut plus de vivacité, jamais marcher calmement, être au trot, toujours, et qu'on donne toutes les répliques comme une meute de chiens sauvages, capables de s'étriper sur l'instant ou de s'accoupler, que le spectateur craigne les deux ! Côté technique, pas mal, des effets d'éclairage à resserrer et dès demain enregistrer la voix off de Falstaff pour la fin... Affichage des raccords de l'après-midi, second filage le soir... Et il distribue une feuille arrachée à son calepin à chacun, ses remarques personnelles griffonnées. Merci à tous. Sur la mienne il a écrit en travers : « Encore mou, t'arriveras à rien en amour. Anne Page vaut mieux que des sucreries à la Luis Mariano. » Dont acte...

Enfin j'ai le temps de décharger mes caisses, et, pourquoi je doutais, faut calmer ces paniques du cœur, Béatrice est en cuisine, en tablier de sommelier, à fatiguer des salades, des platées d'amuse-gueules déjà prêtes. Et son sourire tremblant, les couverts qu'elle lâche, ses bras qui ne savent pas quoi, oui c'est du sentiment à deux sous, j'ai lu pareil dans les nouvelles pour dames, mais tant pis d'être fleur bleue, cette femme je prends ses joues tachées de son dans mes paumes et je l'embrasse, longtemps, à avoir mal aux lèvres, entendre qu'on vient dans la cuisine et qu'on repart en rigolant, et à sentir au plus profond qu'il n'est plus d'autre endroit pour moi qu'elle. Après, elle me serre, elle touche délicatement les balafres de mon dos :

– Je suis vieille...

– Et de mauvaise vie... Sinon, à quoi bon t'aimer ?

Qu'est-ce que j'ai dit ? Évidemment j'ai bu, mais...! Simone, si tu m'entendais! Béatrice a ouvert la bouche, moi je dois avoir l'air aussi niquedouille, alors, pour retrouver une contenance après une déclaration aussi définitive, on attrape les plats et chaud devant! Dufour, rajeuni de vingt ans, s'est remis aux commandes de la sono pour swinguer à l'ancienne, tout désarticulé, avec Magali, sur du Chuck Berry. Raymond regarde sa montre, ma parole qu'il hésite à filer en Avignon ou à Carpentras entrer dans un petit poker, incorrigible... Et comme ça, tous, grignoter, boire, danser, on décompresse dans une sorte de fraternité sans chichis, une trêve des soucis et des grimaces. Sauf que Béatrice, après des bourlingues tous les deux enlacés, m'a laissé sur un baiser volé, elle travaille tôt demain, ses consultations, mais je m'en fous, avant de partir elle a baissé la vitre de son auto, et ses yeux bien dans les miens :

— Je suis une femme jalouse, fais gaffe à ta peau...

Du coup je mangerais la nuit à la petite cuillère et les étoiles avec ! Je traverse la fête qui se décolore peu à peu, et je passe au jardin décidé à me baigner, pas habillé cette fois, en caleçon, et Bernier est assis au bord de la terrasse, un verre distrait en main, penché à déborder, le regard au défilé des vignes, vieux soudain. Tout ce que je trouve à dire pour le regonfler :

— Ah, Jean-Pierre, l'anse du panier, si tu as peur que l'osier cède, je vais y mettre du fil de fer... Mais ne t'inquiète pas, toute la fatigue repose sur les longerons...

— T'as de ces mots maintenant que t'as retrouvé la parole, petit Peres : fatigue, repo-ser... Comme si j'avais encore le choix !

Et il essaie son rire cyclopéen, qui sonne creux cette fois, s'exténue, finit en ricanement acide. Il me croche le bras :

— Entre nous, ce panier, tu ne l'as pas utilisé par hasard ? Edwige te l'a apporté ?

— Bien sûr que non... Il traînait au gre-nier... Pas grave si la toile dedans est pleine de taches de vin... Ou de sang...

173

– C'est bien du sang.

Jusque-là, je maîtrisais mes ivresses, j'en tirais le meilleur, décorseté, la langue débraillée, fin fier de renaître aux hommes, et Bernier me renvoie au chaos, me fauche l'équilibre, le vin me vient au cœur et je dois m'accoter au mur pour ne pas tomber :

– Celui de qui ?

– Le mien... Ton père t'a raconté, hein ? Allez, fais pas l'innocent !

Surtout, ne pas évoquer le bref récit d'Antoine...

– Je te jure...

Il me considère, vieille bête soupçonneuse, soupire, boit une lichée :

– Vaut mieux que je te donne ma version... Tu crois le vieux cabot ou pas mais c'est la vérité... Voilà... Ces vendanges 68 ne se sont pas passées idéalement... Edwige, David et moi, on s'affichait dans les amours libres... Oh par provocation, pour l'air du temps... En fait j'étais son seul amant... Elle allait me suivre à Paris... Déjà le vieux Cabrières voyait d'un mauvais œil sa fille s'encanailler, passer ses soirées ici, mais quand il a appris qu'Edwige était enceinte, il a vu rouge... Un jour qu'on sortait du domaine à pied lui arrivait avec un camion

174

de bouteilles vides... Il l'a mis de travers au niveau du ravin, celui que tu connais, avec le verre brisé, et il est descendu m'attraper au colback... Il savait. Quelqu'un nous avait dénoncés... Tu devines qui? Ton père. Jaloux. Son emploi à la Tuilerie c'est le prix de sa dénonciation... Et l'autre patriarche colonialiste qui hurlait que jamais il ne donnerait sa fille unique à un moins-que-rien... Le domaine, le domaine...! J'ai cru qu'il allait m'étrangler, il était costaud le vieux, il m'avait renversé sur le chemin et m'écrasait la glotte du genou, et puis j'osais pas me rebiffer. Et au moment où j'ai cru que ça y était, que j'allais passer et que c'était bête à braire de finir ainsi, le soleil dans les yeux, on a entendu un bruit de cascade claire: Edwige avait actionné le relevage du camion et ballé toute la palanquée de bouteilles au ravin! Oh nom de Zeus, il était fou! Il m'a lâché pour courir arrêter tout, c'était trop tard, alors, de rage, il m'a poussé et j'ai glissé au fond me blesser sur les tessons... Je pissais le sang, sûr de crever... Lui possible qu'il m'ait cru mort, en tout cas il est remonté au volant et le camion est reparti... Edwige m'a sauvé la vie, elle a couru chercher cette panière à la buanderie, m'a mis dedans et m'a tiré du ravin avec l'aide d'Antoine... D'où le sang... C'est à ce moment que l'anse s'est brisée... En fait j'étais seulement choqué et j'avais juste une estafilade assez profonde au côté... Elle m'a recousu au fil de pêche et j'ai pris le premier train... Tiens, tu veux voir ?

Il lève rapidement sa chemise, entravée par les bretelles rouges, et oui, une moche cicatrice lui court au flanc gauche.

– Si j'avais rencontré ton père avant son mariage, je le tuais... Parce qu'il a tout tenté pour épouser Edwige mon traître joli, prêt à reconnaître Simone, bien soutenu par le papy... Sauf qu'elle était majeure et qu'elle m'aimait, moi... Faute de mieux, excuse-moi, et pas tout de suite, en quatre-vingt, il a épousé ta mère... Il a eu le culot de m'inviter au mariage et j'ai eu tort de venir : il ne méritait pas l'amour de cette femme, Mina... Bref, tout de suite après ces vendanges sanglantes, le vieux Cabrières a voulu combler, recouvrir ce cimetière de bouteilles... Edwige l'a menacé de s'égorger avec un tesson sur les lieux... Et tout est resté tel quel, même après la mort du papy Cabrières... Maintenant on va pouvoir y charrier de la terre et replanter quelques vignes... Celui qui te dirait autre chose serait un menteur...

Bernier a l'œil clair et franc, c'est fait, il l'a lâchée sa confession, il est en paix. Antoine s'est payé notre tête à Simone et moi! Et j'ai la nausée. Tout s'emboîte dans cette vieille tragédie qui se dénoue à retardement. Il faudra que je raconte à Simone, qu'elle s'apaise, Jean-Pierre ne peut pas. Et que papa vide son sac, qu'il me dise vraiment ses duplicités et pourquoi maman! Alors, et jamais telle effusion ne s'est produite avec mon père, j'ouvre les bras, et ce mastodonte se dresse, presque larmes aux yeux, m'enveloppe, allez viens petit Peres, je n'en veux plus à ton père ni à personne, on va s'en jeter un dernier, ta nuit n'est pas finie... Et il me tire à l'intérieur, l'espadrille traînante, la barbe en bataille d'émotion...

Et là, tout à coup, je m'aperçois que ces dames se sont esquivées, toutes, et que les hommes encore présents me regardent, en coin, lèvent leur verre dans ma direction... Jean-Pierre me prend par l'épaule, requinqué à la seconde, de nouveau matois, complice des autres, clins d'œil et grimaces entendues, à se demander s'il n'a pas amusé le tapis, dehors,

177

avec son épopée, que je ne voie rien se préparer, mais sa poigne est presque tendre :

– Ce qui est dit est dit... Tu sais, petit Peres, dans les pièces de Shakespeare, les mots ne reflètent pas les choses, ils les créent... Si Cordélia ne peut dire son amour au roi Lear, son père, alors cet amour n'existe pas... Rien ne vient de rien... Et tout vient de la parole... Si sa fille proclamait l'aimer, même par mensonge, Lear aurait cette vie de toutes les illusions qui nous font traverser le temps... Une joyeuse commère a promis une nuit au vainqueur du concours de Falstaff, par défi, par dépit, sottise ou légèreté, peu importe, mais elle a formulé cette promesse, tu as payé de tes efforts pour qu'elle ne demeure pas lettre morte, et aujourd'hui tu dois donner ta réplique, quoi qu'il t'en coûte... Une dame t'attend donc là-haut, personne ne sait son nom, à qui tu as donné tacitement ta parole et qui en espérait peut-être un autre... C'est le jeu... Vis bien, petit Falstaff !

Et il retrouve son rire pour troisième balcon, son spectaculaire, espèce de pourri... Ni bonsoir ni rien, juste quelques applaudissements à la sauvette, deux-trois bourrades ben mon salaud, bonne nuit, ils filent aux voi-

178

tures. Et moi j'ose pas, je reste à regarder leurs signes au revoir par les vitres baissées des autos qui s'éloignent et je suis seul.

Je sais bien que je ne monterai pas. Béatrice est partie dormir, je l'ai vue s'engager sur la route. L'autre nuit elle mentait en me proposant la récompense du concours... Elle se flagellait une dernière fois ou me disait l'amour à sa façon ? Il ne reste aucune voiture, hors ma Renault 4, qui me permette d'identifier celle qui m'attend là-haut. Emma ? Il faudrait faire semblant de la désirer, prolonger nos amours de scène ? Une autre, je me ferais honte de toute façon. Ce soir j'ai mon lot, pas les épaules pour racheter toutes les fautes, je suis trop petit, naïf, devant de pareilles cruautés. Et je n'ai pas envie de déjà trahir. Alors je m'ouvre un cru Gigondas, j'éteins, je laisse tout ouvert, et dans les coulées de lune, allongé sur le canapé, je m'anesthésie au goulot. Pourvu que la dame ne descende pas trop tôt... Qu'elle parte pendant mon sommeil... Surtout ne pas la voir humiliée ! Et ne jamais connaître son identité.

Au matin j'ai une gueule de bois honorable dans les reliefs de la fête et à peine le
temps d'une douche avant de me présenter
au rapport, chercher la liste des raccords à
afficher et... Nom de Dieu, les gradins sont
aussi livrés aujourd'hui ! Tout précipité,
presque à bégayer intérieurement, je grimpe
en trois enjambées à la salle de bains, face à
la chambre... J'oubliais, la chambre. Je n'ose
pas ouvrir... Si jamais la fiancée de Falstaff
s'était attardée... Je vais laisser à la dame une
dernière chance de disparaître, avertir de ma
présence par des bruits d'eau... Cinq
minutes de branle-bas sous le jet, le placard
à serviettes malmené, sans vin je ne peux pas
chanter, que claquer de la semelle sur le dal-
lage, je me rhabille, j'écoute le silence depuis
le palier et je me décide à pousser la porte de

la chambre. Personne. Le lit est fait. Aucun parfum féminin. On s'est moqué de moi, ou l'heureuse élue a renoncé... Si je dis la vérité, on va me charrier, Bernier le premier, donc autant mentir, jouer la comédie de l'amant comblé qui protège l'anonymat de sa bonne fortune. Être un Falstaff discret...

Ce que n'est pas Bernier. Dans sa chambre, à vérifier les quelques scènes nécessitant un retravail, il attaque bille en tête, j'ai pas dû m'emmerder vu les poches sous mes yeux, je peux bien lui dire qui, c'est entre nous! Tu veux rien dire, bon, bon...! Et il me tend la liste. Moi je ne cille pas, sourire béat, toute façon, à jeun, même sous la torture je ne lâcherais pas un prénom! Il me renvoie d'un geste dégoûté, petit veinard...!

En bas, j'affiche le tableau de service à la volée et je me précipite: un camion vient de reculer jusqu'au bord de la cour, chargé de gradins démontés. Avec Antoine et Nicolas, on s'y attelle, décharger, disposer au fur et à mesure les éléments métalliques dans l'ordre d'assemblage. François nous aidera après avoir enregistré les dernières répliques de Falstaff avec Bernier, dans le silence du chai...

Et comme ça, sang et eau sous le soleil, on

ne pense même pas à déjeuner. On serre des colliers, on vérifie le niveau, on cale, jusqu'à dresser un tiers de cercle orienté de trois quarts, en léger retrait du platane. Bien sûr, on me pose des questions, Dufour, Raymond, l'instit Serge, tous ceux qui passent, les mêmes que Bernier et je ne réponds pas. Antoine me regarde bien un peu de travers, il a un petit penchant pour Hortense, une indéfectible tendresse pour Edwige et de la jalousie à revendre envers les séducteurs. Je me tais pareil que pour les autres. D'ailleurs ils oublient vite, pris par notre jeu de construction. En début d'après-midi, c'est au tour des commères de venir me confesser. Pour la galerie, je les laisse m'interroger à voix basse, s'espionner entre elles du regard et puis je bégaie deux syllabes, abandonne la compagnie en plan brutalement, hop une clé à molette, et je grimpe fixer un tube. Arrachez-vous les yeux pour du vent, mesdames, je ne le vaux pas ! Si bien qu'à dix-sept heures toute la structure est en place, restera à installer les longues planches des sièges. Demain.

Parce que la troupe se rassemble, les derniers comédiens locaux, Magali et l'autre étoile, arrivent du village et nous on a nos régies à préparer avant le grignotis du dîner... Quand on a fini, tous mes accessoires bien en place, les projos sonnés, les conduites d'éclairage vérifiées sur les ordis, douche rapide à ma citerne, on peut enfin passer au buffet où officie toujours Simone. Si c'était le lieu et l'instant, j'en aurais à te déballer, ma Simone, sur ta saga familiale ! Je ne sais pas comment je serai sur le plateau mais là j'en ai ma claque, rempli de phrases en ruine, de mots écornés, j'ai besoin d'ivresse, et de Béatrice. Mon premier jour d'amour déclaré se meurt et elle est certaine que je l'ai trompée déjà. Une bouteille, une part de pizza et je gravis les gradins nus me percher tout en haut, comme ces ouvriers des années vingt, photographiés à casser la graine en plein ciel, assis jambes pendantes sur une poutrelle étroite, au faîte d'un building en construction.

Une fois l'estomac calmé, le vin pas loin de me décorseter, comme le soleil roule au dos des collines, j'essaie de marmonner mes répliques bas, me remettre le langage en ordre, «Par le ciel, voici Anne Page ! »

– Alors là, t'as plus les yeux en face des trous ! Me confondre avec Emma !

Simone. Elle a escaladé par-derrière et se

183

glisse à mon côté, vole une rasade de rouge, se ratatine des pommettes :

– Trop chaud, comment peux-tu…?

En réponse, sur un rythme d'italienne, à voix blanche, comme si je donnais la suite de mon texte, je lui livre la confession de Bernier, une main à sa cuisse pour dire non, tais-toi, chaque fois qu'elle ouvre la bouche.

– Maintenant, tu peux être en paix, tu connais le beau et le laid, les racines du jour et celles de la nuit, plus besoin de t'arranger avec toi-même, de t'infliger des punitions pour racheter ta mère. Elle retrouve l'amour de sa vie, toi ton père… Et moi je ne suis pas fier du mien… Ce qui ne change rien, je le croyais méprisable d'être volage, d'oublier ma mère, il est lâche…

En bas, Bernier et Edwige sont apparus sous la galerie. Il gagne le centre du plateau dans la lumière croisée des deux projecteurs de service, regard circulaire, Nicolas est à sa table de régie, François fait signe, pouce levé, que tout est OK côté comédiens et costumes, et petit Peres, il est où…?

– Petit Peres ! On lève dans dix minutes, si t'es pas là, je lâche mes bacchantes à tes fesses, qu'elles te mettent en lambeaux !

Il a hurlé, main en visière, cherchant à me

repérer derrière la lumière. Je réponds debout
en équilibre, hurlé pareil :

— Ce serait une belle mort !

Avant même qu'il trouve la réplique, je
me laisse glisser à cheval sur le garde-corps
métallique, mon borsalino, mon écharpe, et
Fenton est prêt à entrer en scène. Noir.

Et puis, le sirop épais des quelques jours précédant la générale nous a englués. On a attendu la date comme des naufragés face à une voile, une fumée qui grandit à l'horizon. Fébriles et presque inquiets d'être exaucés. Ce fut le temps des solitudes. Hors les raccords, les filages, de rapides collations en commun, chacun disparaissait de son côté. Magali a amené Bruno une fois, avec la fierté d'une marraine de guerre amoureuse d'un ancien combattant. On l'a presque battu froid. Il n'est plus revenu. J'avais mes désœuvrements où j'errais parmi les vignes, sans boire inutilement, à essayer de parler haut. Seules mes conversations imaginaires avec Béatrice vibraient comme une brume de mots dans l'air brûlant. Le soir, elle passait après ses consultations, ses visites, nous accompagnait aux Vendangeurs me voler des tendresses rapides, parfois ausculter Bernier, faire la grimace, et vite rentrer dormir une poignée d'heures. Jamais il n'était question de la fiancée de Falstaff ni d'ensuite entre nous. Les représentations données, on verrait. Et même ces fêtes s'écourtaient, étaient presque sobres, je n'avais plus besoin de courir la joyeuse chaque matin pour approvisionner. Le stock du cagibi suffisait.

Au début de ces journées encalminées, j'aidais aussi Antoine à l'embouteillage du Gigondas, en bout de chaîne, mettre en cartons de six, fermer les rabats, scotcher… Surtout ne pas en laisser échapper une au sortir du tapis roulant, qu'est-ce que j'aurais pris! Interdit de bégayer des mains…! Ça n'a pas empêché, à cause des bouteilles j'ai bredouillé un commencement d'allusion à ses mensonges d'accident, aux confidences de Bernier. Antoine a coupé le courant, net, m'est venu droit dessus dans le cliquetis du verre bousculé par cet arrêt brutal :

– Ici on fait guère le vin de garde et l'histoire ancienne on la relit jamais. Vu? Maintenant, du vent, Simone te remplacera!

Et me voilà couillon à traînasser dans l'allée de platanes, au frais, jusqu'à débusquer

Dufour, adossé à un tronc, une brochure à la main, remuant des lèvres en silence. Il a sa dégaine tassée de vieux corbeau globuleux, me laisse le forcer à redresser son livre pour lire le titre :

– Tttu...

– *Tartuffe*... J'apprends Orgon pour m'entretenir la mémoire... Et plein d'autres... Non, pas vrai, je me donne l'illusion qu'un jour je le jouerai ce Molière, ou Brecht, ou Pinter... Mais faut pas se faire d'illusions, à soixante-quinze balais je suis bientôt bon pour la maison de retraite... On me laissera dire la tirade de Cyrano au goûter de fin d'année... Tu sais, Rico, je suis le dernier d'une lignée d'acteurs... Le premier de la liste a joué sur le boulevard du crime avec Frédérick Lemaître ! Et mon grand-père a connu la bourse aux comédiens... Ils attendaient, assis sur leur valise de costumes passe-partout, dans une grande salle, qu'un tourneur vienne proposer un rôle... Un Titus pour Orléans, samedi ! Moi ! Tu sais le texte, t'as une tunique ? Oui ! Ils convenaient du cachet, topaient là et on avait du Racine en province pour un soir ! Le premier jour ici j'ai eu l'impression de revivre ces époques de théâtre bricolé vite fait...

Et ce petit vieux mal repassé me prend l'épaule, qu'on rebrousse chemin ensemble, à pas lents :

— Je déconne, personne n'a à rougir de cette version des *Commères*... Demain, la générale, déjà... Ma dernière avec Jean-Pierre. Tu sais, j'en pleurerais qu'il ait pensé à moi en juge Shallow pour tirer sa révérence... Parce qu'on en a vu ensemble, des hauts et des bas, à courir le cacheton avant qu'il tienne le devant de la scène... Et déjà on picolait sec ! Des fois on jouait un Musset en scolaire le matin à Reims et un boulevard bien gras le soir à Rennes ! J'avais une vieille Simca 1000, un tombeau ouvert... D'ailleurs on s'est payé un accident... Miracle qu'on s'en soit sortis... Des survivants ! Moi un bras cassé, lui une estafilade au côté, tout du long, le lendemain, on donnait de l'André Roussin anesthésiés au chablis ! Ah, les beaux jours que c'était ! Ceci dit, faut qu'il ménage son cœur maintenant, j'espère qu'Edwige... On n'irait pas se prendre un rosé ? J'ai soif, et toi, si tu bois pas je vais continuer à parler tout seul !

Pas sûr qu'il en soit capable, avec cet œil à nostalgies, mouillé de mémoire. La mienne est encore presque vide. Forcément, un

muet! Quand même, je ne suis pas amné-
sique: la cicatrice exhibée par Jean-Pierre
n'est pas le souvenir d'une chute sur les tessons du ravin, il m'a coupé court aux questions avec un conte à dormir debout...
Comme Antoine, il a menti. Évidemment
parce qu'il y trouvait un avantage. Lequel?
Salaud d'acteur!

L'après-midi de la générale, vers la fin des siestes, je termine mes vérifications d'accessoires dans une chaleur aiguë aux odeurs de pierre. Ce soir c'est du sérieux, les conditions exactes d'une représentation avec public. Sauf que personne n'occupera les gradins. Bernier a refusé d'inviter les habituels privilégiés, les copains, le maire, le conseil municipal... Demain, à la première, pas aujourd'hui. Une seule exception : Bruno et son fauteuil roulant. On lui doit bien cette faveur... Béatrice aussi, bien sûr, hôtesse de fête et toubib de service...

Pas encore confondu Bernier dans son mensonge sur sa blessure de guerre. Son numéro de martyr me trotte dans le crâne... Après la dernière représentation, je m'enverrai du courage et de l'éloquence au goulot et…! Et quoi…? Au fond, à quoi bon, s'il lui chante d'épater un gamin avec de fausses campagnes amoureuses ? On verra.

Comme je déguste un petit demi-ballon de rosé sous la galerie, le début de ma mise en voix pour ce soir, j'entends un moteur gronder vers l'allée. Le temps de ranger ma bouteille, de lever le nez, un camion à plate-forme a reculé presque jusqu'au platane, au flanc des gradins. Il est chargé de palettes de bouteilles et le chauffeur, un molosse torse nu, descend déjà, un bordereau au poing, à la rencontre d'Antoine :

– Domaine de la Tuilerie, madame Cabrières Edwige… Vingt mille bouteilles… Je vous les mets où ?

Antoine est planté devant lui, massif, le crâne brillant de soleil :

– Nulle part, tu les rembarques… Avec trois semaines de retard, on n'en a plus besoin ! Et on ne les paiera pas… Le domaine n'est pas aux ordres des transporteurs… Allez, dégage !

L'autre, je le vois se raidir, gonfler les pectoraux, s'obliger au calme :

– Sur un autre ton, hein ? Ce lot on devait le récupérer à Brive, eh oui, j'y suis allé gratis en juillet. Et rien ! Alors je m'obstine, je suis la trace… Total, pour tes beaux yeux je charge enfin ce matin en Avignon… Et toi tu me jettes… Ce qui s'est passé entre deux je m'en fous, moi, je suis pas dans les bureaux de la SNCF, je suis un petit à mon compte…

– C'est ton choix. Donc tu notes que je refuse la marchandise et tu fous le camp !

Le chauffeur, écarlate, a un instant d'arrêt, fait un pas vers Antoine, je suis sûr qu'ils vont se castagner :

– Et j'en fais quoi, moi de ta quincaillerie ? Qui va me les reprendre, millésime gravé, ton blason et tout ? Personne peut les utiliser ! Alors je livre, la verrerie me paie mon transport et toi tu te démerdes avec eux ! Plus mon problème !

Et avant qu'Antoine ait compris, puisse réagir, le costaud est remonté dans sa cabine et je vois la plate-forme commencer à se lever, les premières palettes enveloppées de plastique glisser doucement. Antoine s'est précipité sur le marchepied, essaie d'empêcher le chauffeur par la vitre baissée :

– Nom de Dieu, arrête !

Mais il prend un gnon, bascule en arrière et mord la poussière en même temps que l'avalanche de bouteilles se déclenche. Elles produisent, tandis que le camion avance par secousses, le bruit d'une pluie de comètes, étincelantes au moment où elles éclatent, roulent, et l'écho neuf fait accourir tout le monde au bord du plateau. Le camion, sur une dernière ruade, remonte déjà l'allée. Nous on est devant une montagne de verre en équilibre fragile d'où dégringolent encore quelques bouteilles dans un rire cristallin avant que la masse se stabilise et que revienne un silence mangé de cigales.

Je crois que le premier son après est celui d'Antoine qui se bat les flancs, s'époussette, espèce de salaud, jamais plus une commande de chez nous, et puis on s'exclame, merde, comment débarrasser cette banquise verdâtre avant ce soir? À quelques-uns, machinalement, on se met à ramasser les éclats et les flacons entiers parvenus presque au tronc du platane, à les rejeter sur le tas. Et ce simple geste suffit à déclencher des glissements, à donner du mouvement à la colline de verre.

– Stop! Si seulement j'avais pensé disposer d'un signe théâtral aussi fort, j'en aurais joué dans ma mise en scène... François, l'éclairage du cinq en souffre? Non? Tu conserves ton rayon de lune sur le sacrifice de Falstaff? Parfait... Et l'espace de jeu est à peine rogné, faudra juste régler des marques plus courtes ce soir… On va utiliser ce hasard et croyez-moi, tous les spectateurs s'en souviendront! D'abord ils auront le droit, après les représentations, de prélever une bouteille intacte et de l'emporter… Personne n'en possédera qu'eux! Ensuite, le vin est présent partout dans la pièce, Falstaff ne pense qu'à picoler, ses acolytes pas moins, et tout se termine dans une bacchanale, eh bien on a là un monument à Dionysos, l'équivalent de la statue du dieu placée au centre de l'orchêstra en prélude aux concours théâtraux d'Athènes! Ce sera dans toutes mes futures interviews!

Tous, on en a la gueule ouverte. Comme on retourne une situation! Bernier, avec des benoîteries de chanoine, tiré de sa sieste par le chambard, considère la catastrophe depuis la galerie, penche la tête, se fourrage la barbe à pleins doigts, fait claquer ses bretelles écarlates, ouais, ouais, ouais, là on touche au sacré… Dommage qu'elles n'aient pas été pleines, on avait le sang des dieux sur scène! On peut y remédier, sacrifier un peu de piquette…

Edwige, d'en bas, s'est retournée à sa voix, lève le menton vers lui, même pas agressive ni ironique, tranchante comme une femme trompée à qui on sert un alibi improbable :

– Tu es sérieux ?

Il baisse les yeux sur elle, et d'évidence, même pour les autres, désarmés devant le coup du sort, ils soldent d'anciens comptes intimes :

– J'apprivoise le destin en observant ses décrets.

J'ai un cul de bouteille brisée en main, je pourrais en égorger n'importe qui, et je sais bien que vous évoquez des stigmates qui viennent de se remettre à saigner, un jour d'autrefois jamais cicatrisé, et que le moment est mal choisi. Emma, au milieu du plateau dans sa robe gitane, applaudit la première : la belle réplique ! Personne, même pas moi, pourtant j'entends clair son numéro hypocrite, personne ne prête attention à son persiflage ni à ses yeux farouches, il n'y a que ses bravos et sa jupe qui vole, tout est bien qui finit bien dans les comédies du grand Will, et on piaille de joie comme des enfants devant un arc en ciel. Antoine commence de ratisser le gravier sous le platane, faudrait pas qu'on se coupe ce soir…

Tout le temps de l'incident, Simone est demeurée au seuil du vestibule, dans l'ombre de la galerie, noire pythie, et ceux qui affluaient se désoler, se tordre les bras devant la cruauté du sort, l'ont bousculée sans la voir. Je jette mon tesson sur le tas, ce qui provoque une brève coulée de verre et je vais à elle, la prendre serré, qu'elle laisse venir les jours de bientôt sans crainte. Elle tremble dans son parfum de savon à la lavande :

– Je voudrais que tout soit fini, Rico.

Moi aussi, mais je n'ai pas assez bu encore pour le dire et elle me laisse un baiser de moineau sur les lèvres et pffuitt, elle vole dans l'escalier.

Après, le temps que descende le soir, qu'il glisse entre les vignes et vienne tendre une voile sombre sur la cour, je reste dans l'embrasure d'une fenêtre de la grande salle, à doser mes lampées de rouge, parvenir doucement au point d'ivresse où je pourrai jouer sans être saoul perdu. Parmi les comédiens qui se concentrent, crèvent de trac, marmonnent, soufflent, j'attends sans crainte, en coulisse et pourtant définitivement spectateur. Maintenant je suis détaché, l'enchaînement des vies qui ont amené la mienne jusqu'ici, les fatalités mal mises en scène, mes initiations aux débordements de la chair, les désirs cruels qui ont mené le fil lent des jours jusqu'à ce soir où je suis moi, enfin, capable de parler, je les connais, et, quoi qu'il arrive d'ici la fin des représentations, seule m'occupe ma liberté. Aimer Béatrice et le dire. Pas seulement parler à son oreille, habiller le silence de haillons sonores, mais confier cet amour à des pages sans le bégaiement des ratures, à des histoires qui prennent le monde dans le filet des mots, et ne plus me taire, jamais.

Quelqu'un est apparu au bout de l'allée de platanes. Non, pas quelqu'un, deux hommes lents, comme s'ils marchaient sur un tapis obscur déroulé par la nuit sous leurs pas, deux silhouettes, l'une à peine en retrait de l'autre. À mesure qu'elles approchaient, j'ai reconnu celui qui suivait à distance respectueuse, cette allure nonchalante, mains dans les poches du jean, ce ridicule pull fuchsia, c'était papa. Et papa ne gaspille jamais le temps. S'il est là, avec cet étranger... L'autre, devant, aux cheveux blancs, portait un complet sombre, un grand mince aux épaules serrées, comme s'il était resté longtemps plié dans le sens de la hauteur. Après avoir contourné la montagne de bouteilles fracassées, être passé sans un regard devant Nicolas et François qui tâchaient de dégager à grands coups de balai les derniers tessons dégringolés sous le platane, il est monté avec une sorte de défiance s'asseoir au dernier rang des gradins, papa à son côté qui a posé une main sur son épaule, brièvement. Entre chien et loup, personne n'aurait pu les reconnaître et dans un instant, sans lune, personne n'aurait même idée de leur présence.

À peine sont-ils installés, Béatrice pousse le fauteuil de Bruno l'adjoint devant le premier rang, l'arrête à ras de l'amas de bouteilles. Et puis presque à tâtons dans l'obscurité qui n'hésite plus, vient au galop, elle prend vite place sur la banquette du bas. Me semble qu'elle s'est faite bien belle, je n'y vois plus assez…

À vingt-deux heures pile, Nicolas donne le top dans le talkie de François qui me fait un signe de la main et je pousse Dufour sur le plateau, le juge Shallow remonté à fond contre Falstaff, prêt à lui intenter un procès : « Non, n'essayez pas de me persuader ! » Et commence le martyre de ce chevalier obèse et lubrique, sans le sou et prodigue, et naïf plus que quiconque, et tendre. Jamais je n'ai tant ressenti, ça m'éblouit, ce que me dit la pièce :

la démesure n'a pas droit de cité ici-bas, ni l'amour fou, et Falstaff crève que la bourgeoisie ne tolère ni sa panse ni ses appétits charnels, ni son sublime dandysme, voleur, menteur, sans morale conforme aux règles. J'ai vingt ans, j'aime une femme de douze ans mon aînée, une flétrie, une piétinée, et je suis plus Falstaff que Fenton, ce petit marquis bien élevé mais roué qui marie par ruse une donzelle en rupture de parents et la battra pire que plâtre aussitôt qu'il aura fait le tour de son corps.

Dès ce début, je suis sûr qu'on tiendra le rythme voulu par Bernier. Ça cavale, ça s'empoigne, les dialogues sont à fleur de peau, crachés, parfois inaudibles, pendant que les mains parlent aux mains, aux épaules, aux cuisses, aux poitrines, que les lèvres mordent autant qu'elles disent. Nicolas a eu le temps de glisser une ampoule, pas plus qu'une lampe de poche, sous les bouteilles qui en deviennent une sculpture verdâtre, monstrueuse et menaçante, comme des âmes remontées des enfers pour boire le sang d'une fosse sacrificielle et échouées au bord du festin promis.

À cause de ce tempo accéléré, les premiers actes passent vivement dans des suées de marathon. Sauf pour entretenir mon ivresse, je n'ai pas une seconde de pause, Fenton, le valet, vérifier sans cesse les accessoires, nous deux François trimballer Bernier dans la panière, ce qu'il est lourd ce cochon, les torches pour le cinq sont bien en place, mon baquet de viande crue à jeter sur le cadavre de Falstaff, déchiqueté par les fées, bon, revenir à la course, avec le panier vide par les arrières du domaine... Quand Nicolas balance le noir sec de la fin du quatre, je suis désincarné, laminé, juste accroché à l'élan général. Et de façon palpable, dans la lueur sourde des services sous la galerie, pendant la courte minute où on se maquille le visage de céruse vite appliquée, je sens monter la frénésie, on montre les dents, le poil se hérisse, les échines frémissent, les griffes entrent dans les paumes, et Nicolas fait se lever lentement une lune laiteuse, une tranchée opalescente qui effleure le monstre de verre aux vingt mille têtes, avant de la shunter, maintenant la couleur maléfique est donnée, pour basculer un seul projecteur sur Falstaff et Quickly, Bernier et Edwige. À l'auberge ils s'asticotent autour du tonneau, se reniflent, se mordillent à petits cris, rendez-vous masqué est pris au chêne d'Herne, que

Falstaff écartèle enfin cette chaude mijaurée de madame Ford... La courte scène entre Antoine, Ford incognito, bouffé de jalousie, et Bernier, est électrique, deux vieux fauves prêts à se déchirer pour une femelle, avant que la lune ne revienne, glacée. Nous voici dans la royale forêt de Windsor, le sacrifice sanglant d'un réprouvé peut commencer devant la cour assemblée, devant les dieux ici-bas... Falstaff, le casque tout cornu de ceps tordus, brame son désir, «Oh amour tout-puissant, toi qui changes un homme en bête...!», prêt à saillir ces effarouchées de dames Ford et Page... Et la mascarade, la pastorale noire, appelée par Quickly, incantatoire, «Venez, fées et lutins, accomplissez votre ouvrage...!», se déroule presque au millimètre, je vais aider les fées à allumer leurs torches et je rentre avec elles, rien que mes yeux visibles entre feutre et écharpe, j'enlève Emma et sa robe Marilyn à l'instant où toutes les petites miss du village, Magali et je ne sais plus son nom, sa copine, court-vêtues et sauvages, commencent de torturer ce bon Falstaff, le mordent, le traquent à bout de torche, maintenant il doit se réfugier contre le tronc du platane, dans l'ombre, que je vide sur lui mon baquet de barbaque tout prêt, que ces bacchantes puissent en prendre des lambeaux et repartir comme si elles déchiraient à belles mâchoires le cadavre du chevalier…

Et je crois que, depuis mon poste obscur, j'entends le bruit de tonnerre clair avant de voir s'ébranler la masse des bouteilles. Ce con d'adjoint, Bruno, devait être trop en retrait pour lorgner la chair en émoi de la fée Magali, sa fureur sacrée, tout ce qui breloque sous son chiffon de robe en lamé or, et il a donné une impulsion à son fauteuil, trop forte, il balaie les flacons à la base du monticule, l'ensemble s'ébranle et Serge, l'instit, le king des sauvetages en cour de récré, se précipite à son secours, pose le pied sur une bouteille, s'étale et déclenche l'avalanche générale. Le verre pète, éclate aux dalles dures… Un premier cri derrière nous, Simone, les mains aux joues, perchée sur la galerie… Une demi-seconde d'hésitation et c'est trop tard, la débandade en hurlant, chacun pour soi, Magali fait un saut de chèvre, jette sa torche, Bernier tâche d'éviter le cep enflammé, perd l'équilibre, son casque de cocu lui glisse sur les yeux, et il tombe le nez parmi la vague de tessons qui le charrie jusqu'à l'arbre. Tout de suite je le vois rouler sur le dos, porter la main à son cou, en tirer un éclat de verre, ouvrir la bouche, et le sang jaillit de sa gorge. François et moi on le tire à la lumière par les pattes, comme un noyé à ranimer, on a du mal, il est lourd, ses damnées espadrilles nous restent dans les mains, et ce sang, ce sang, son râle sourd, mais on le sort de là, de ce fleuve de larmes vertes, Béatrice est déjà penchée sur lui dont les yeux se troublent :

— La carotide est sectionnée...

C'est foutu, pourtant elle s'évertue, quelqu'un appelle le Samu, elle m'arrache mon écharpe, l'applique serré sur la plaie, et rien n'y fait, le temps ne s'arrête pas ni le sang, elle relâche sa pression, passe une main sur le visage de Bernier et voilà, les paupières de Falstaff lui masquent à jamais la lumière.

— C'est fini...

Béatrice s'est relevée, les mains ensanglantées, elle s'accroche à moi, m'enfonce les ongles dans le dos et mes balafres d'amour elle les rouvre, y mêle le sang de Falstaff, et je n'ai pas bu assez de vin pour tant de chagrin. Les autres, ils restent sur place, là autour, de douleur, à se prendre dans les bras, s'essuyer les yeux de leurs paumes, même leurs sanglots sont silencieux comme s'ils attendaient une réplique qui ne vient pas,

Edwige a glissé à genoux, bien au-delà des larmes, elle tient la main de Jean-Pierre et elle est toutes les femmes tragiques, la souffrance même. Un sacrifice cruel a eu lieu, je pense ça, que Dionysos est mort, les destins viennent d'immoler le dieu joyeux… Par làdessus, parce que Nicolas n'a pas interrompu sa conduite son, on entend la voix enregistrée de Falstaff épiloguer ses amours déçues, « C'est assez pour que gaillardises et promenades nocturnes soient bannies… » Et peutêtre cette assemblée de clowns maquillés blanc, sous la lumière d'une fausse lune, Jean-Pierre n'aurait pas souhaité meilleure compagnie pour quitter le théâtre du monde.

Combien de temps on reste ainsi, peu, on ne retient plus les sanglots, certains partent s'effondrer contre le chai, divaguer entre les vignes, je m'aperçois que papa est parmi nous, qu'il me serre vite contre lui, relève Edwige, l'enveloppe, viens, reste pas là, viens à l'intérieur, et qu'il est bouleversé, j'ai oublié la mort de maman, est-ce qu'il avait cette stupeur aux yeux, et il l'entraîne. L'homme en complet sombre est aussi descendu des gradins, un Arabe maigre au visage cousu de cicatrices, personne n'a fait attention à lui, sauf Antoine, raide, médusé sous son masque de céruse, et terrifié. L'homme est un peu à l'écart et tremble à en hoqueter, le regard sur le cadavre de Jean-Pierre. On peut croire qu'il va venir le toucher, il a un geste interrompu et puis se tourne vers le fond du plateau où Simone vient d'apparaître, se figer, fixer le menton loin, comme à l'arrivée d'un voyageur inattendu, et je vois l'élan de ses minces épaules...

Alors, dans la voix morte de Falstaff et le faux clair de lune, Simone traverse le plateau, croise sa mère et papa, droit à cet Arabe couturé qui la regarde approcher, bras ballants, et ces deux-là se reconnaissent. Elle met ses mains dans les siennes, ses yeux dans ses yeux. Il a la voix rouillée, ça râpe, ça charrie des limailles dures, à peine un murmure :

— Je m'appelle Smaïl...

— Et tu es mon père.

Au creux de la nuit, le corps de Bernier emporté par le Samu, on est dans la grande salle, ceux qui logent au domaine, et puis Antoine, papa, Smaïl et Béatrice. Raymond, assis à la table, déchire les cartes d'un jeu, une à une. Dufour, dans le vague, remplit sans cesse un verre, le vide cul sec, en écoutant les tendres oraisons des commères, des veuves pas démaquillées dont les larmes raient le masque de céruse, tu te souviens, quand Jean-Pierre m'a quittée pour toi, ce que j'ai pu venir vous emmerder, et il en riait, ah son rire…! Et la fois où on s'est retrouvés dans le même lit, bourrés à plus savoir…?

Nous, effondrés au vieux divan du salon, Béatrice appuyée à mon épaule, sa robe encore tachée de sang, Simone, défaite, tout le corps à gémir en silence, Antoine, debout derrière le dossier, comme un condamné en attente, et Smaïl, à la lumière ses balafres sont terribles mais il est beau, une dignité d'aristocrate déchu, tous les quatre on écoute Edwige et papa retisser ensemble la vieille étoffe de leur vie, moche, tramée de trahisons, et inhumaine. Smaïl bat des paupières de temps en temps, hoche la tête, en silence. C'est entre eux trois, ils ne nous voient même pas, peut-être ils ne sont plus que des ombres venues boire au sang versé du colosse en allé et dire enfin le vrai… Et la voix d'Edwige est largement au-delà de l'émotion, nue :

— Si longtemps, Smaïl, j'ai cru à ta mort que je n'ose pas te toucher… Mais qui pourrait maintenant se taire sur ce qui s'est passé réellement à cette fin de vendanges 68 ? Jean-Pierre est mort de ma faute, parce que j'ai voulu ravaler la façade de ma vie, que je me suis acheté un mari sur le tard, et un père pour Simone... Oui, 68... Nous trois, Jean-Pierre, David et moi, on était des révolutionnaires d'opérette, tout juste capables de choquer le bourgeois... Le seul à notre portée était mon père. On ne pouvait pas supporter ses manières d'ancien colon, la façon dont il faisait payer aux vendangeurs immigrés la faillite de l'Algérie française, dont il exploitait leur force de travail, lui le propriétaire des moyens de production qui ressuscitait ici, en France, le système colonialiste... Il avait engagé Antoine ès qualités, ex-légionnaire, ancien de l'OAS... Là, on avait raison de haïr... Bref, première mesure qu'on croyait spectaculaire : mes deux amoureux intellectuels partagent la vie du sous-prolétariat viticole, même son toit rustique ! Qu'est-ce qu'il s'en foutait papa...! Du moment que le raisin rentrait ! Alors j'ai eu l'idée radicale : il n'avait qu'une fille, j'allais lui pourrir la descendance ! Avoir un bébé avec un vendangeur algérien ! Et ne pas révéler son nom une fois qu'il serait loin ! Pardonne-moi, Smaïl, je ne t'ai jamais aimé... On t'a choisi, avec David et Jean-

Pierre, comme arme idéologique. Parce que tu étais beau, un Kabyle aux yeux bleus... On ne connaissait pas ton passé de harki... Tu ne disais rien à cause de tes compatriotes vendangeurs, ils t'auraient écharpé... Et je t'ai séduit, sans gloire, c'était joué d'avance. La petite semaine calculée sur mon ovulation où tu t'échappais des vignes, où je te rejoignais sur ton matelas, tu croyais me voler des instants de bonheur, moi je croyais militer...

Papa je ne le reconnais pas, il essaie de prendre la main d'Edwige, de se raccrocher, minable :

– Avec Jean-Pierre, on prenait soin que vous ne soyez pas dérangés... Un vrai sacrifice, parce qu'on t'aimait, on attendait que tu choisisses entre nous deux...

Elle non, elle refuse, agacée, faut qu'elle aille au bout avant d'être en ruine :

– Toi, peut-être... Moi, depuis le lycée, j'aimais Jean-Pierre qui n'aimait personne que lui... Alors j'ai sûrement conçu Simone moins pour faire honte à mon père que pour rendre ce putain de comédien jaloux, qu'il regrette de jouer les dandys avec moi ! Parce que déjà je ne l'intéressais plus, ni nos jeux de contestation... Déjà il était à Paris, à New York... Et il est parti... Tout ce temps je l'ai attendu, j'ai pris de ses nouvelles, jusqu'à être sûre qu'il n'avait plus un sou, que j'étais sa seule issue… Et là je me le suis payé! En même temps qu'une belle honorabilité aux yeux de tout le village: Simone retrouvait son père…!

Papa a les yeux baissés:

– Pourquoi m'avoir toujours repoussé? J'étais là, moi…

– Dès que tu as su ma grossesse, tu as dénoncé Smaïl à mon père avant qu'il ait quitté le domaine… Tu le condamnais!

– Tu crois que je n'y pense pas tous les jours, à ma lâcheté?

– Mon chéri, toi et moi sommes des salauds tous les jours, sans excuse! Il t'a payé grassement, papa: ton emploi de chef des ventes du domaine… Moi, je suis aussi coupable de t'avoir gardé, d'avoir trahi ma jeunesse… Tu sais pourquoi je l'ai fait, après la mort de mon père? Pas pour céder à un chantage, que tu ne parles pas de ce foutu après-midi de chien… À cause de Mina, ta femme: tu ne la méritais pas! Elle avait milité dans la gauche armée en Italie, interdite de séjour dans son pays, et elle souffrait d'exil, t'avais épousé une sorte de harki italienne! Je lui ai laissé son héros! Bref, mon père n'a pas fait le détail, putain, salope, traîtresse à la patrie, j'ai tout entendu, qu'il allait vendre le domaine, tout dilapider, mettre les vignes au nom d'Antoine, j'aurais pas un sou... Oh, ça a tenu à peu : le même après-midi, il rentrait le camion avec les bouteilles gravées de Gigondas, il est tombé au bord du ravin sur Smaïl et moi... Tu ne savais pas que j'étais enceinte, hein Smaïl ? On était en train de se dire au revoir... Papa a commencé à te cogner sans rien te dire, tu as répliqué, tu l'étranglais et c'est moi qui t'ai cassé la première bouteille sur le crâne, parce que c'était mon père et moi, en réalité une petite bourgeoise qui avait joué au gauchisme, que je ne voulais pas perdre le domaine... Tu as roulé au fond, on était sûrs que tu étais mort. Alors papa a renversé tout le chargement sur toi... Et on t'a laissé, qu'on croie à un accident... Je te demande pardon...

Elle se regarde à l'intérieur, Edwige, au bord de foutre le feu à sa mémoire, la respiration hachée de soupirs convulsifs. Simone a cessé de gémir, elle a une gueule d'assassin. Papa, je m'en doutais, cherche à se dédouaner et je sens Béatrice se raidir contre moi, se nicher le nez à ma poitrine, pas voir ce pleutre se refaire une innocence :

– Moi je me suis racheté, quand même...
Jean-Pierre et moi on t'a trouvé, on a appelé
Antoine et on est revenus, avec une panière,
te tirer de là... Tu pissais le sang de partout... Mais tu vivais... Jean-Pierre a immédiatement fait ses bagages... Je t'ai ramené,
tout seul, chez toi, à Jouques, dans une petite
cité de harkis, à peine deux blocs miteux
perdus loin de tout en bord de route, au
nord d'Aix... Fallait oser... Je t'ai déposé
sous l'abribus, tu te souviens ? Après j'ai
laissé croire au papy Cabrières et à Edwige
que tu étais mort, qu'on t'avait enterré... Et
ces jours derniers je suis retourné à Jouques,
ta cité était rasée, alors j'ai remué ciel et terre
pour te retrouver à Marseille... Dis-le... Au
fond, je ne suis coupable de rien... Et Jean-
Pierre, qui t'avait oublié, n'avait aucun droit
sur Simone... J'avoue, l'idée qu'il en reven-
diquait la paternité, je n'ai pas supporté...
Mais qui est venu te chercher pour que tu la
voies enfin ?

Il est pitoyable, papa, vieux galant en pull
de gala qui cherche des indulgences alors qu'il
a déjà passé le seuil des enfers :

– Mais j'ai aimé Mina plus que personne... Après sa mort, Edwige, mes

demandes en mariage, c'était pour expier, m'occuper de Simone à la place de Smaïl…

Dans un instant il dira que, d'avoir un fils bègue, il a payé ses lâchetés, étonnant retour du sort. Si tu le fais, papa, je te… Et là, pas le temps de faire ouf, Simone s'est dressée et le gifle d'un aller-retour :

– De la part de ton fils ! Tu te souviens de lui ? Rico ! Il est devant toi !

Papa masse doucement sa joue marbrée, me regarde avec les yeux de tous ses départs en voyage, tu vas te débrouiller mon Rico, t'es grand, papa revient bientôt…

On ne s'est pas rendu compte, les autres sont venus autour, à distance de voix, ils ont écouté. Quand Béatrice se lève, vient doucement se mettre aux genoux de Smaïl, lui prend les mains et calmement, à les lui remplir de ses larmes, baise ses paumes cousues de cicatrices comme des lignes de vie illusoires, Emma est la première à l'imiter et puis Mélanie, et Hortense, et les hommes, Dufour, Raymond, ces comédiens revenus de tous les effets, viennent s'incliner bas, comme un salut de scène, ce qu'ils connaissent de mieux pour honorer. Et lui, habillé en dimanche, le vieil homme à la carcasse pliée comme un origami, chuchote merci, non, c'est oublié, n'en voulez à personne, me sourit de tout son visage découpé en lambeaux :

— Petit, n'arrête jamais d'être amoureux… Même si c'est pas dans tes moyens…

Et puis il a un petit rictus pour mon père :

— David, tu peux me reconduire chez moi ? Maintenant ?

Simone le prend délicatement au coude, l'aide à quitter son fauteuil :

— C'est à moi de le faire, papa.

Nul ne croira que les choses se sont déroulées ainsi. J'ai pourtant relaté au plus près un fait divers dont on s'est longtemps ému et encore aujourd'hui. La presse nationale a rapporté l'enterrement à Sablet de Jean-Pierre Bernier, ancien sociétaire de la Comédie-Française, décédé accidentellement, comme une ultime représentation où il a recueilli plus d'applaudissements que jamais. Avec l'argent récolté pour son anniversaire et jamais dépensé, j'ai acheté autant de brochures de pièces différentes que possible, du Molière, du Koltès, du Brecht, et on les a posées sur son cercueil. Le désespoir transpirait tant de nous que les articles ont tous dit nos visages baignés d'émotion au point que les pages des journaux, quand on tentait de les ouvrir, paraissaient collées par les larmes. Mais aucun n'a pu dire qu'après la cérémonie, Edwige, papa, Simone, Béatrice et moi, nous avons amené Smaïl devant le ravin et lui avons passé une à une tout le Gigondas 68 rouge, une petite centaine de bouteilles lisses, qui restait. À mesure qu'il les jetait sans un mot, qu'elles se brisaient au fond, Antoine comblait au bull cette fosse emplie de l'ancien sang.

Aujourd'hui, j'habite les Vendangeurs avec Béatrice. Notre chambre est celle des anciens adultères. Par décision de conjurer. Au premier soir, on était au pied du lit, tout gauches, à retrouver des pudeurs dépassées depuis des mois, j'ai eu peur des ombres, Bertrand, ses maîtresses, je ne voulais pas être l'instrument d'une vengeance posthume et douloureuse, je l'ai dit à Béatrice. Alors elle a sorti de sa poche un feuillet tout chiffonné :

– Quand j'ai préparé les billets pour tirer au sort la fiancée de Falstaff, j'ai triché. Je n'ai mis que des papiers blancs dans la corbeille, ainsi aucune des femmes ne pouvait l'emporter. Je comptais marquer le mien par la suite si le vainqueur me plaisait... À ce moment, rien ne me disait que tu allais gagner ni que je t'aimais... Peut-être je voulais être la seule fille facile parmi nous, punir encore la mémoire de Bertrand en m'offrant à n'importe qui... Toi ou un autre... Et puis, par dépit, j'ai tracé un « F » sur mon billet au lendemain de l'anniversaire de Bernier, après cette nuit ensemble où tu ne m'as pas touchée... Mais, à cet instant exact, j'ai eu la certitude de t'aimer, j'ai su que je ne pouvais plus être le prix d'une loterie sordide, et j'ai renoncé à profiter de ma fraude.

— Et si une autre en avait fait autant ?

— Je l'aurais accusée de forfaiture publiquement, je lui aurais arraché les yeux...

— Qui te dit qu'aucune ne l'a fait ?

— J'ai récupéré les papiers vierges dans la poubelle : c'étaient des feuilles d'ordonnance à mon en-tête... Il n'en manquait pas une. J'étais tranquille...

Ce « F » à l'encre bleue est punaisé devant mon bureau, là où j'écris pour ne plus jamais bégayer. Mon premier roman sera en librairie le mois prochain. Et maintenant j'ai peur de cette entreprise prométhéenne, cette prétention à faire entendre dans le silence de la lecture l'écho du bruit lointain de vies abolies.

Aujourd'hui, une carte postale de papa est arrivée de Californie. Dès l'enterrement de

Jean-Pierre, il s'est envolé y installer une société d'import-export de vins. Dans cinq ans, il revend et prend sa retraite avec une petite sirène de Venice! Il donne de ses nouvelles pour sauver les apparences, ne demande jamais des nôtres. Je ne lui ai toujours pas répondu. Mais, avant qu'il ne soit trop tard, j'ai acheté des billets d'avion pour le lendemain de la parution de mon roman. Poussé par Simone qui dirige maintenant la Tuilerie. Smaïl a accepté de s'y installer avec elle après la mort d'Edwige. Jusque-là, il refusait. Peu importe comment elle a décidé de nous quitter, un matin, il est arrivé à temps pour embrasser ses lèvres froides. Maintenant il s'est mis doucement à élever le vin sous la direction d'Antoine. Pendant les dégustations, ils s'engueulent en murmurant, comme en présence d'un deuil jamais interrompu. Jamais ils ne parlent de l'Algérie où Smaïl ne pourra jamais retourner, où Antoine aurait aimé rester. Parfois, le soir, ils se taisent côte à côte sous la galerie, les yeux éteints, et des galaxies obscures se couchent à leurs pieds. Simone lit, pas loin. Ils n'ont pas d'instants plus heureux.

Tout à l'heure, Dufour, Raymond, Hortense et Mélanie viendront passer le weekend et fleurir la tombe de Jean-Pierre et celle d'Edwige. Ils tirent le diable par la queue, traquent la panouille dans les téléfilms, mais ils apporteront un jouet, un petit livre pour Mina. Elle sait qu'ils vont arriver, je lui ai annoncé, et, blonde et grave, je vois ma petite reine des fées préparer un jeu de cartes sur la terrasse, que Raymond lui montre des tours. Elle dit pique, carreau, cœur, sans bégayer. Béatrice a accouché de Mina, Mina Peres, neuf mois pile après la nuit d'orage, j'ai fait le calcul moi-même et n'ai pas demandé qui était le père.

Ah, j'entends une voiture… Mina a entendu aussi, elle déboule au galop pour arriver à la porte avant moi, elle est dans mes jambes quand j'ouvre :

– Je dérange ?

Papa est sur le seuil, bronzé Malibu, et sa dégaine de beach boy impénitent, pareil qu'au soir de l'apocalypse, même réplique, pour se donner contenance, mais sourire de traviole, pas bien sûr de lui. Mina a levé les yeux :

– Je m'appelle Mina…

Et mon père s'agenouille devant ma petite, il peut pas tenir, le sanglot lui monte, il veut parler et non, rien ne vient, il bafouille, ravale ses larmes :

– Ccc…

Je finis à sa place :

– Comme maman, oui, sa grand-mère…

Et je me retourne parce qu'une main s'est posée à mon dos, qu'elle cherche, comme souvent, du bout des doigts à travers la chemise mes infimes cicatrices amoureuses. Toutes les taches de rousseur de Béatrice dessinent à ses joues des constellations tendres :

– Son petit frère s'appellera David, comme son grand-père.

Jamais je n'ai vu ma femme aussi joyeuse. Oui, joyeuse, c'est le mot.

Dans la collection
ÉCRIVINS

Daniel Arsand,
Ivresses du fils, 2004.

Patrick Cloux,
Un vin de paille, 2004.

Sébastien Lapaque,
Chez Marcel Lapierre, 2004.

Pierre Charras,
L'oiseau, 2004.

Alain Roehr,
Le fil de l'eau, 2005.

Sylvie Gouttebaron,
Du corps, 2005.

Jean-Claude Pirotte,
*Expédition nocturne
autour de ma cave*, 2006.

Nicole Lombard,
Loin des vendanges, 2006.

Baptiste-Marrey,
Rouge, le vin, rouge, mon cœur, 2006.

Olivier Bailly,
Monsieur Bob, 2009.

Robert Giraud,
Le vin des rues, 2009.

Pour l'éditeur, le principe est d'utiliser des papiers composés de fibres naturelles, renouvelables, recyclables et fabriquées à partir de bois issus de forêts qui adoptent un système d'aménagement durable.

En outre, l'éditeur attend de ses fournisseurs de papier qu'ils s'inscrivent dans une démarche de certification environnementale reconnue.

Ce volume a été composé
par I.G.S.-CP à L'Isle-d'Espagnac (Charente)

Cet ouvrage a été imprimé en France par
CPI Bussière
à Saint-Amand-Montrond (Cher)
pour le compte des Éditions Stock
31, rue de Fleurus, 75006 Paris
en avril 2009

N° d'édition : 01. – N° d'impression : 091106/1.
Dépôt légal : avril 2009.
54-02-6220/5